COLECCIÓN PRÁCTICA

EXPRESIÓN ORAL

Nivel intermedio
A2-B1

María José Lobón López
Gregoria López García
Ana Isabel Ron Ron

Dirección editorial: Raquel Varela
Edición: Cándido Tejerina
Maqueta y diseño: CD Form, S. L.
Ilustraciones: Enrique Cordero
Cubierta: DC Visual, S. L.
Fotografías: Santiago Burgos y CD Form, S. L.

© enClave-ELE, 2010
ISBN: 978-84-935792-3-4
Depósito legal: M-749-2011
Impreso en España por OMD, S.L.\ Printed in Spain.

PRESENTACIÓN

Este cuaderno está dirigido a jóvenes y adultos de nivel intermedio que deseen profundizar en la destreza del español oral.

Se corresponde con el nivel A2-B1 del *Marco Común de Referencia Europeo para el Aprendizaje, la Enseñanza y la Evaluación de Lenguas* y está concebido para unas 80 horas de clase. El cuaderno está concebido como material complementario para trabajar en el aula o en casa.

La obra consta de tres bloques que se dividen en cinco unidades relacionadas temáticamente entre sí. Al final de cada bloque hay una tarea evaluadora encaminada a preparar al alumno para la obtención del Diploma Intermedio de Español. Con ese objetivo cada bloque incide en alguna de las capacidades orales que el alumno debe dominar para conseguir este diploma, por ejemplo, ser capaz de describir imágenes, de mantener diálogos en diferentes situaciones de la vida cotidiana, de hacer una breve exposición y de defender sus puntos de vista.

Cada unidad consta de varias actividades que ayudan al alumno a resolver satisfactoriamente una tarea final donde se recogen todos los contenidos léxicos, gramaticales, funcionales y socioculturales vistos a lo largo de dicha unidad.

Asimismo, dentro de cada unidad aparecen actividades de variada índole: trabajo en parejas, en pequeños grupos, en grupo grande, etc., que ayudan a evitar la monotonía y a crear una dinámica de grupo más atractiva y motivadora al ir variando el tipo de interacción. Por esa razón, el libro se puede utilizar tanto en grupos reducidos como en los más numerosos. En cualquier caso, el profesor podrá adaptar las actividades a las necesidades propias de su grupo.

Resumiendo, este libro permite al alumno desarrollar su capacidad oral general en español en un amplio abanico de temas, dándole mayor fluidez, enriqueciendo su vocabulario, ayudándole a asimilar estructuras gramaticales de forma amena y en contexto, favoreciendo su capacidad de comprensión e interacción y, en última instancia, consiguiendo respuestas culturalmente adecuadas en español.

ÍNDICE

BLOQUE 1

UNIDAD 1: Nuestras relaciones con los otros 6
Objetivos
Hablar del carácter propio y de los demás. / Hablar de gustos e intereses. / Hablar del estado de ánimo. / Expresar opiniones.
Contenidos lingüísticos
Adjetivos de carácter. / *Gustar* y verbos sintácticamente similares. / *Caer bien/mal, llevarse bien/mal con alguien.* / Partículas interrogativas. / *Me gustaría* + infinitivo. / *(Yo) creo que, me parece (que).*
Contenidos culturales
Fórmulas sociales para expresar deseos.

UNIDAD 2: Nuestros recuerdos y nuestras experiencias 12
Objetivos
Hablar de recuerdos y experiencias del pasado. / Hablar de cambios. / Hablar de acciones en desarrollo en el pasado. / Contar anécdotas y reaccionar ante ellas.
Contenidos lingüísticos
Tiempos verbales: perfecto, indefinido, imperfecto, pluscuamperfecto. / *Estar* + gerundio (pasado). / Verbos y estructuras que expresan cambios. / Expresiones de sorpresa, incredulidad, etc. / Expresión de la causa.

UNIDAD 3: Nuestros sentimientos 18
Objetivos
Expresar emociones y sensaciones. / Reaccionar ante sucesos, noticias, informaciones. / Mostrar acuerdo/desacuerdo. / Expresar deseos.
Contenidos lingüísticos
Verbos de sentimiento. / Presente de subjuntivo. / *Ser* + adjetivo/nombre + que + subjuntivo. / ¡Qué raro/bien... + subjuntivo!
Contenidos culturales
Las relaciones familiares

UNIDAD 4: Nuestra salud 24
Objetivos
Expresar estados físicos. / Hablar de salud y bienestar. / Describir síntomas y enfermedades. / Aconsejar y buscar remedios.
Contenidos lingüísticos
Imperativo afirmativo y negativo. / *Yo que tú, en tu lugar, creo que* + condicional. / *Lo mejor sería, podrías, te aconsejo* + infinitivo.

UNIDAD 5: Nuestros planes y expectativas 30
Objetivos
Hablar de planes. / Hacer predicciones. / Expresar deseos de hacer algo. / Excusarse por no poder hacer algo que nos proponen.
Contenidos lingüísticos
Ir a + infinitivo. / El futuro. / Marcadores de futuro. / *Me gustaría, tengo ganas de, me apetece* + infinitivo. / *Es que...*
TAREA DE EVALUACIÓN, BLOQUE 1 36

BLOQUE 2

UNIDAD 6: ¡Viva el séptimo arte! 38
Objetivos
Describir argumentos de películas y opinar sobre ellas. / Describir impresiones. / Aceptar o rechazar propuestas, dando justificaciones.
Contenidos lingüísticos
Adjetivos para calificar una experiencia: *fantástico, increíble...* / Tiempos del pasado. / Vocabulario relacionado con el cine. / *¿Por qué no...?* / *Interesar, apetecer, preferir...* / *Vale, bueno, perfecto...* / *Es que... Lo siento, pero...* / *Ir bien/mal.*

UNIDAD 7: Los viajes 44
Objetivos
Desenvolverse en una agencia de viajes, en una ciudad desconocida y en un hotel. / Pedir y dar consejos. / Expresar la opinión. / Expresar gustos. / Formular preguntas.
Contenidos lingüísticos
El condicional. / *Aconsejar/recomendar* + subjuntivo. / *Creo que, me parece que...* / *Gustar, interesar...* / Partículas interrogativas.
Contenidos culturales
Las vacaciones de los españoles.

UNIDAD 8: Los medios de comunicación 50
Objetivos
Entender la información esencial de una noticia de los medios de comunicación orales o escritos, deduciéndola por el contexto si es necesario. / Aprender el léxico relacionado con los medios de comunicación. / Aprender recursos para expresar la opinión y para debatir. / Contar una noticia.
Contenidos lingüísticos
Creer, pensar que + indicativo. / *No creer, pensar que* + subjuntivo. / *Para mí, en mi opinión...* / Sinónimos del verbo *decir* (*declarar, explicar, añadir...*). / Conectores discursivos.
Contenidos culturales
Los medios de comunicación del mundo hispano.

UNIDAD 9: Nuestro tiempo libre **56**
Objetivos
Hablar de preferencias. / Reaccionar ante otras opiniones. / Describir el aspecto físico, los gustos, las opiniones, etc., de los jóvenes, haciendo comparaciones con otros países.
Contenidos lingüísticos
Conectores para ordenar una exposición, para contrarrestar opiniones. / *Creo que... / No creo que...*
Contenidos culturales
Actividades de ocio y juventud. Diferencias y similitudes según el país.

UNIDAD 10: ¿Vamos a picar algo? **62**
Objetivos
Describir comidas. / Enumerar acciones. / Hacer propuestas y reaccionar ante ellas. / Interactuar en un restaurante: hacer una reserva telefónica, pedir, reclamar, etc.
Contenidos lingüísticos
Léxico básico de las comidas y la cocina. / *Primero, después, luego, al final... / ¿Qué te parece...? ¿Por qué no...? ¿Te apetece...?* / Exponentes que expresan aceptación y rechazo. / Expresiones de frecuencia.
Contenidos culturales
Las comidas en el mundo hispano.
TAREA DE EVALUACIÓN, BLOQUE 2 .... **68**

BLOQUE 3
UNIDAD 11: La sociedad actual **70**
Objetivos
Expresar la opinión. / Participar en un debate. / Ordenar informaciones por orden de importancia. / Aconsejar.
Contenidos lingüísticos
Lo más serio, lo más importante, lo más grave... / Recursos para debatir. / Conectores textuales.
Contenidos culturales
Problemas y preocupaciones de los españoles.

UNIDAD 12: Personas diferentes, culturas diferentes **76**
Objetivos
Relacionar información expresando causa y consecuencia. / Explicar costumbres del propio país. / Contar anécdotas de malentendidos culturales.
Contenidos lingüísticos
Oraciones causales (*como, porque, puesto que, a causa de, gracias a, por, puesto que*). / Oraciones consecutivas (*por eso, en consecuencia, así que, por lo tanto*). / *La mayoría, (casi) todo el mundo, (casi) toda la gente, poca gente, (casi) nadie.*
Contenidos culturales
Los tópicos sobre otros países. / Costumbres españolas para ofrecer y rechazar.

UNIDAD 13: Educación **82**
Objetivos
Valorar experiencias del pasado. / Explicar anécdotas. / Comparar y contrastar el presente y el pasado educativo. / Analizar formas de aprender idiomas.
Contenidos lingüísticos
Conectores textuales. / Oraciones sustantivas que expresan opinión. / Expresiones utilizadas para sugerir soluciones.
Contenidos culturales
El aprendizaje de la lengua española en el mundo.

UNIDAD 14: Desarrollo tecnológico **88**
Objetivos
Analizar cambios producidos en el campo técnico y sus consecuencias. / Hacer hipótesis. / Describir objetos y hablar de su uso.
Contenidos lingüísticos
Antes, ahora. / Construcciones de relativo. / El condicional.

UNIDAD 15: Somos así **94**
Objetivos
Expresar opiniones. / Fomentar el uso de estrategias para solucionar posibles carencias de vocabulario.
Contenidos lingüísticos
Verbos de opinión. / Verbos de valoración.
Contenidos culturales
Las relaciones de pareja. / El uso del tiempo en España (horarios y vacaciones).
TAREA DE EVALUACIÓN, BLOQUE 3 .... **100**
SOLUCIONES Y TRANSCRIPCIONES **103**

NUESTRAS RELACIONES CON LOS OTROS

unidad 1

OBJETIVOS

- Hablar del carácter propio y de los demás.
- Hablar de gustos e intereses.
- Hablar del estado de ánimo.
- Expresar opiniones.

CONTENIDOS LINGÜÍSTICOS

- Adjetivos de carácter.
  Gustar y verbos sintácticamente similares.
  Caer bien/mal, llevarse bien/mal con alguien.
- Partículas interrogativas.
  Me gustaría + infinitivo.
  (Yo) creo que, me parece (que)...

CONTENIDOS CULTURALES

- Fórmulas sociales para expresar deseos.

1. ¿Cómo eres?

1.1 👥 **Tu compañero va a decirte unos adjetivos de carácter y tú dirás el contrario; (lo encontrarás en el cuadro).**

Alumno A	
optimista	
inseguro	
sincero	
impaciente	
responsable	
abierto	

Alumno B	
simpático	
trabajador	
malo	
generoso	
tranquilo	
aburrido	

bueno   hipócrita

interesante   alegre

paciente   nervioso

antipático   activo

cerrado   tacaño

perezoso   pesimista

seguro   sociable

irresponsable   miedoso

extrovertido   desordenado

1.2. **Ahora clasificad los adjetivos del cuadro en positivos y negativos. Además recordad los antónimos de cada uno.**

Positivos	Negativos

1.3. **Vamos a jugar todos juntos. Uno de vosotros va a definir uno de estos adjetivos sin decir de cuál se trata. La persona que lo acierte será la próxima en describir, y así sucesivamente. A ver quién acierta más.**

Por ejemplo:
– *Es el alumno que siempre hace los ejercicios, estudia mucho.*
– *Trabajador*
– *¡Sí! Ahora tú.*

2. ¿Cómo estás?

2.1. Observad las caras de estas personas e intentad explicar cómo se sienten.

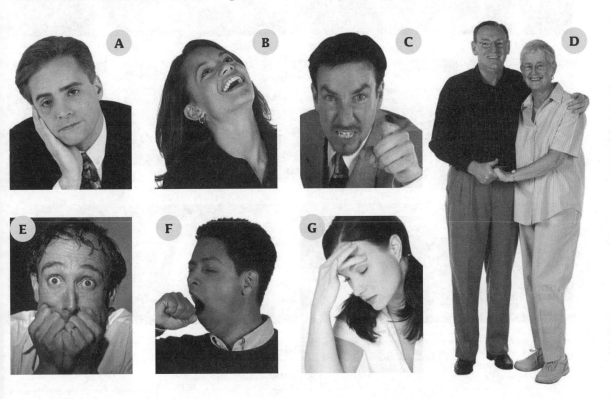

2.2. Pensad ahora la situación en la que se encuentran, es decir, por qué se sienten así.

Por ejemplo: *Está nervioso porque ha visto a la chica que le gusta.*

2.3. Seguro que has observado que algunos adjetivos se pueden usar con ser y con estar, pero está claro que hay una diferencia. Completa el cuadro para ver si la has comprendido.

con _____	Se refieren a rasgos del carácter.
con _____	Se refieren a un estado de ánimo.

2.4. Y tú, ¿cómo te encuentras hoy? Cuéntaselo a tus compañeros.

Hoy estoy / me siento / me encuentro..., porque...

3. Y ellos, ¿cómo están?

3.1. En grupos de tres, observad estas imágenes. Elige a una persona y describe su carácter y sus gustos, usando las expresiones del recuadro. Tus compañeros tendrán que adivinar de quién hablas.

Paula   Eva   Luisa   Peter   Borja   John

A esta persona...	Además...
le gusta...	adora...
le molesta...	odia...
le preocupa...	no soporta...
le encanta...	

3.2. Y a ti, de ellos, ¿quién te cae bien y quién mal? ¿Con quién te llevarías bien o mal? ¿Por qué? Explícaselo a los compañeros de tu grupo para ver si piensan cómo tú.

A mí me cae bien,... porque yo también / a mí también...
Yo me llevaría bien con..., porque yo también / a mí también...

3.3. **¿Y qué me dices de los famosos?**

a) Piensa en algún personaje y explica a la clase por qué te cae bien o mal.

b) Elegid uno del que los tres tengáis la misma opinión y presentádselo a la clase.

c) Al final, podéis votar quién de todos es el más simpático y el más antipático para la clase.

4. Preguntas, preguntas

4.1. 👥 **Responde las preguntas que te va a hacer tu compañero con una de las respuestas del círculo.**

¿Qué te preocupa?
¿Qué no soportas?
¿Qué estilo de música te gusta?
¿Qué tipo de cine no te gusta nada?

¿Cuál es tu color favorito?
¿Cuál es tu comida preferida?
¿Cuál es tu película favorita?

¿Quién es tu actor favorito?
¿Con quién te llevas mal?
¿A quién te gustaría conocer?

¿Dónde te gustaría vivir?
¿Adónde querrías ir de vacaciones este verano?

La pasta.

Con mi vecino de arriba.

En Roma.

El azul.

A Javier Bardem.

A una isla griega.

El racismo.

Las guerras.

Clint Eastwood.

El rock de los años 80.

El de terror.

Grease.

4.2. **¿Os habéis fijado en la forma de las preguntas? ¿Podéis encontrar alguna regla?**

4.3. 👥 **Ahora hazle estas preguntas a tu compañero y anota sus respuestas. (¡Ojo!, en algunas hay varias opciones, depende de lo que quieras preguntar.)**

1. ¿_____ coleccionas? _____
2. ¿_____ tipo de comida te gusta? _____
3. ¿_____ te da miedo? _____
4. ¿_____ es tu escritor preferido? _____
5. ¿_____ te preocupa? _____
6. ¿_____ no soportas? _____
7. ¿_____ es tu mayor virtud? _____
8. ¿_____ te gustaría estar ahora? _____
9. ¿_____ es tu mejor amigo? _____
10. ¿_____ vives? _____

5. La media naranja

5.1.  Trabajáis en una agencia matrimonial. Tras un problema informático, tus fichas de los clientes están incompletas. Encuentra la información que te falta preguntando a tu compañero.

Alumno A

Nombre: Susana García
Edad:
Profesión: profesora de inglés
Carácter:
Aficiones: bailar, el cine norteamericano

Nombre: Margarita López
Edad: 36
Profesión: pediatra
Carácter: tímida, cariñosa, activa
Aficiones: la literatura, la música, pasear por el campo

Nombre:
Edad: 38
Profesión: informático
Carácter: activo, con sentido del humor, sociable
Aficiones:

Alumno B

Nombre: Susana García
Edad: 36
Profesión:
Carácter: simpática, ordenada
Aficiones:

Nombre: Jaime Infiesta
Edad: 38
Profesión: informático
Carácter:
Aficiones: el cine, cocinar, hacer deporte

Nombre:
Edad:
Profesión:
Carácter: tímida, cariñosa
Aficiones: la literatura, la música, pasear por el campo

5.2. ¿Ya lo tenéis todo? Entre los dos, decidid quién os parece la pareja más adecuada para Jaime. ¿Por qué?

6. Fórmulas sociales

En nuestras relaciones con los otros es muy importante respetar algunas normas sociales. Entre ellas está la que nos obliga a hacer deseos positivos cuando alguien nos cuenta algo, utilizando algunas fórmulas concretas.

> ¡Felicidades!
> ¡Que te mejores!
> ¡No te pongas así
> ¡Que tengas suerte!
> ¡Qué pena!
> ¡Qué alegría!
>
> ¡Que aproveche!
> ¡Qué (mala) suerte)
> ¡Enhorabuena!
> ¡Que lo pases bien!
> Por supuesto.
> Te acompaño en el sentimiento.
>
> ¡Que descanses!
> No es necesario.
> ¡Feliz cumpleaños!
> Lo siento mucho.
> ¡Qué rollo!

6.1. 👥 **Tu compañero te va decir algo. ¿Cómo reaccionas? (Elige una de las expresiones siguientes).**

Alumno A
1. Hoy es mi cumpleaños
2. ¿Quieres que te ayude con esos paquetes?
3. Esta noche voy a cenar a un restaurante libanés.
4. Tengo un resfriado...
5. He suspendido el examen del carné de conducir.

Alumno B
1. Me han dado una beca para hacer un curso de español en España.
2. Me voy, ¡hasta mañana!
3. Mañana tengo un examen muy importante.
4. Mi abuela está en el hospital.
5. He perdido el pasaporte.

6.2. Ahora pensad situaciones en las que diríamos las expresiones que no hemos usado en el ejercicio 5 y comentadlas con toda la clase. Después, seguro que sabes muy bien cómo utilizarlas todas.

_____

_____

_____

NUESTROS RECUERDOS Y NUESTRAS EXPERIENCIAS

unidad

2

OBJETIVOS

- Hablar de recuerdos y experiencias del pasado.
- Hablar de cambios.
- Hablar de acciones en desarrollo en el pasado.
- Contar anécdotas y reaccionar ante ellas.

CONTENIDOS LINGÜÍSTICOS

- Tiempos verbales: perfecto, indefinido, imperfecto, pluscuamperfecto.
- *Estar* + gerundio (pasado).
- Verbos y estructuras que expresan cambios
- Expresiones de sorpresa, incredulidad, etc.
- Expresión de la causa.

1. ¡Ohhhh!

1.1. 🔊 **Escucha y lee estos diálogos. ¿Para qué se utilizan las expresiones en negrita?**

PISTA 1

– ¿A que no sabes a quién vi ayer por la calle? ¡A Pedro!
– **¿En serio?** Pero ¿no estaba en el extranjero?

– Creo que voy a dejar las clases de español. Tengo mucho trabajo....
– **¡Anda ya!** Si eres el mejor de la clase...

– ¡Por fin hemos encontrado casa!
– **¡Qué bien!** ¿Cuándo vamos a verla?

– ...y, de repente, llegó Juan con una chica. No puedes imaginar la cara de María cuando se dirigía hacia él.
– **¿Sí? ¿Y qué pasó?**

– Me ha llamado Lorena para decir que no puede venir esta noche.
– **¡Vaya! ¡Qué pena!**

Para expresar...	
sorpresa	
incredulidad	
interés	
alegría	
tristeza	

1.2. 🔊))) **Escucha los siguientes diálogos y completa el cuadro anterior con otras expresiones.**
PISTA 2

1.3. 🔊))) **Ahora escucha y reacciona utilizando una de las expresiones anteriores.**
PISTA 3

2. Anécdotas

Alumno A

2.1. Vas a contar a tu compañero algunas de estas cosas curiosas que te han pasado últimamente. A ver cómo reacciona.

el verano pasado
en la playa
tomar el sol
ver a un actor famoso
hablar con él

el lunes por la mañana
dormir
sonar el teléfono
oír la voz del jefe enfadado
no sonar el despertador

esta mañana
en el supermercado
hacer mucho calor
desmayarse
caerse al suelo
no dormir bien

hace dos años
en el ascensor
estropearse
tener mucho miedo
llamar a los bomberos

2.2. Ahora cambiamos los papeles. Escucha a tu compañero y reacciona.

Alumno B

2.1. Tu compañero va a contarte algunas cosas curiosas que le han sucedido últimamente. Escúchalo y reacciona.

2.2. Ahora cuenta tú alguna de estas anécdotas. ¿Cómo reaccionará?

en 1999
en casa en pijama
ver la televisión
haber un terremoto
salir a la calle

esta semana
ir a la peluquería
leer una revista
quedarse dormido/a
tener el pelo verde
equivocarse el peluquero

ayer
ir al cine
empezar la película
al poco tiempo,
interrumpirla
entrar Madonna
poner la película desde
el principio
protestar la gente

hace unos meses
ir por la calle
encontrar un paquete
tener 15.000 euros
ir a la policía
perderlo un cobrador de una empresa

3. ¿Qué estaba haciendo cuándo...?

3.1. Lee el siguiente texto publicado en un periódico español y trabaja con tu compañero.

¿DÓNDE ESTABA USTED CUANDO MURIÓ FRANCO?

La noticia en la madrugada de la muerte del dictador provocó sentimientos diferentes en gran parte de la población, mientras los más pequeños sólo pensaban en que no había colegio.

El 20 de noviembre de 1975, a las 4:58 de la madrugada, la noticia llegó a todas las redacciones del país con una sola frase, tres veces repetida: "Franco ha muerto, Franco ha muerto, Franco ha muerto". ¿Se acuerda usted de lo que hacía en ese momento o de cómo le llegó la noticia?

El entonces secretario general del PSOE, **Felipe González**, con 33 años, fue de los primeros en enterarse. Acababa de reunirse en París el día anterior con un dirigente socialista francés. "Ese mismo día cogí un avión a las ocho de la tarde en París. Llegué a las diez de la noche a Madrid. Me acosté. Y creo que a las cinco de la mañana me llamaron para decírmelo. Volví a acostarme y dormí perfectamente."

A **Michel**, ex-futbolista del Real Madrid, la imagen que se le quedó grabada fueron los sollozos del ministro Arias-Salgado anunciando la muerte. "Y recuerdo también los quioscos llenos de gente y sobre todo dos días sin clase en el colegio."

El periodista de televisión **Pablo Carbonell** tenía 13 años: "Mis padres nos lo dijeron por la mañana, nos llevaron a la cocina y allí rezamos. La gente decía que había bebido champán, pero yo en aquella época no entendía muy bien por qué".

El hoy presidente del gobierno, **José Luis Rodríguez Zapatero**, entonces con 14 años, recuerda: "Todos los días estábamos pendientes de la radio. Esa noche me despertó mi padre".

3.2. Y estas personas, ¿qué hacían? Habla con tu compañero.

a) Marcelino Camacho, sindicalista:
En la cárcel con otros presos políticos.
Despertarse todas las mañanas a las 7.
Llegar un funcionario antes y comunicar la noticia.
Solicitar el indulto.
A los diez días salir de la cárcel.

b) Albert Boadella, director de teatro:
Vivir en una casa en el campo, alejada de la civilización.
En la cama, escuchar la tele.
Saltar en la cama y gritar de alegría.
No haber grandes comentarios ni reacciones en el pueblo.

c) Manolo Tena, cantante:
En Sevilla para un concierto.
Oír la noticia en la radio.
Emborracharse aquella noche con un pianista
de su grupo.

3.3. Entre toda la clase, decidid los cuatro momentos más importantes de la historia reciente mundial o de vuestro país.

– Yo creo que el 11 S fue un momento muy importante.
– Sí, y para nuestro país, la celebración de las Olimpiadas también.

3.4. 👥 ¿Y vosotros? ¿Qué estabais haciendo en estos momentos? Habla con tu compañero.

4. Vivir es evolucionar

4.1. 🔊 Escucha en la grabación cómo han cambiado las personas que intervienen.

PISTA 4

4.2. ¿Cómo se utilizan las expresiones utilizadas en la grabación? Relaciona las siguientes expresiones con su significado correspondiente.

volverse	a) Fin de un hábito o costumbre.
hacerse	b) Continuación de un hábito o costumbre.
dejar de + infinitivo	c) Cambios espontáneos y definitivos. Normalmente se refieren al carácter y tienen un significado negativo.
seguir + gerundio	d) Cambios decididos por el sujeto o presentados como algo natural. Se utiliza con nombres o con adjetivos.
antes + imperfecto / ya no	

4.3. 👥 Trabaja con tu compañero.

Alumno A

Algunos de los personajes que aparecen a continuación han sufrido cambios en su vida. Descríbelos a tu compañero.

	ANTES	EN LA ACTUALIDAD
María	Vivir en París	Vivir en París
Elena	Trabajar mucho para pagar el alquiler	Hacerse rica
Margarita	Fumar	No fumar

4.4. Ahora tu compañero va a decirte como han cambiado las personas representadas en los dibujos. Escribe su nombre.

Alumno B

4.3. Tu compañero va a decirte cómo han cambiado las personas que aparecen en los dibujos. ¿Puedes escribir su nombre?

4.4. Ahora tú vas a describir los cambios que han sufrido los personajes que aparecen a continuación. Tu compañero escribirá sus nombres.

	ANTES	EN LA ACTUALIDAD
Juan	Estudiar mucho	Ser juez
Pedro	No salir	Muy sociable
Jaime	Ir al gimnasio	No ir

4.5. 👥 **¿Y tú? ¿Cómo has cambiado? Díselo a tu compañero y decidid quién ha cambiado más.**

5. Momentos importantes de nuestra vida

5.1. En pequeños grupos (3-4 personas) vamos a decidir cuáles son los momentos más importantes en la vida de una persona. ¿Por qué?

Casarse.
Entrar en la universidad.
Tener un hijo.
El primer trabajo.
....
....

5.2. Cuando lo hayáis decidido, explicad vuestras conclusiones a toda la clase y elegid entre todos los cinco momentos más importantes.

Por ejemplo: *Para nosotros, lo más importante es tener un hijo...*

5.3. 👥 **En parejas, pregunta a tu compañero cuándo sucedieron estos momentos en su vida, si ya han sucedido. Con estas informaciones, haz una presentación a toda la clase sobre la vida del otro para conoceros mejor.**

Por ejemplo: *Lisa entró en la universidad en 1998 y...*

BLOQUE 1

unidad

3

NUESTROS SENTIMIENTOS

OBJETIVOS

- Expresar emociones y sensaciones.
- Reaccionar ante sucesos, noticias, informaciones.
- Mostrar acuerdo/desacuerdo.
- Expresar deseos.

CONTENIDOS LINGÜÍSTICOS

- Verbos de sentimiento.
- Presente de subjuntivo.
- *Ser* + adjetivo/nombre + que + subjuntivo.
- ¡Qué raro/bien... + subjuntivo!

CONTENIDOS CULTURALES

- Las relaciones familiares.

1. Sentimientos

1.1. Piensa en los sentimientos que te producen estas cosas. Puedes usar los contenidos del cuadro.

Me gusta(n)	*Me da(n) pena*	*Me molesta(n)*
Me preocupa	*Me da(n) miedo*	*Me encanta(n)*
	Me pone(n) triste, nervioso...	

volar	el chocolate	los fumadores
ir al médico	los gatos	los ancianos
el tráfico	el paro	vivir solo
la música clásica	los perros abandonados	conducir

1.2. 👥 Ahora coméntaselo a tu compañero. Además, reacciona ante lo que él te dice.

¿De verdad?	*¿En serio?*
¡No me digas!	*¡No me lo puedo creer!*
Yo también/tampoco	*A mí también/tampoco*

Por ejemplo:
– A mí me da mucho miedo volar.
– ¿De verdad?, pues a mí me encanta.

1.3. Piensa ahora en los sentimientos que te producen:

los políticos – los profesores – los compañeros de clase...
un familiar – tu pareja – tu perro/gato – un vecino – los taxistas...

> Recuerda que con los verbos de sentimiento usamos subjuntivo cuando los sujetos de las frases son diferentes. Por ejemplo:
> – Me molesta mucho que mi hermano pequeño no ayude en casa.
> – Pues a mí me encanta que mi hermana me deje su ropa.

2. ¡Qué raro!

Vais a trabajar en parejas, pero antes, observad las expresiones que aparecen a continuación. Las necesitaréis en esta actividad.

Es raro	Es fantástico	**+ que + sujeto + subjuntivo**
Es normal	Está bien	
Es lógico	Está mal	
Es increíble	Es una pena	

Alumno A

2.1. 👥 **Comenta con tu compañero los hechos que aparecen a continuación (¡ojo!, tienes que usar las expresiones del cuadro). Puede que él tenga una explicación.**

Por ejemplo:
– Es muy raro que Sofía y Kostas no estén en la clase hoy, porque ellos siempre vienen.
– Sí, pero es lógico, porque estos días hay exámenes en la universidad.

1. Alejandro mira el reloj continuamente.
2. El director del centro está pasando por todas las clases para hablar con los alumnos.
3. Hay un cartel nuevo que dice que no se puede fumar en el centro.
4. La secretaría está cerrada.

2.2. 👥 **Ahora va a ser tu compañero el que te comenta algunas cosas que le llaman la atención. ¿Puedes encontrar una explicación?**

Alumno B

2.1. 👥 **Estás en la clase y tu compañero te comenta algunas cosas que le llaman la atención. Utiliza tu imaginación para encontrar una explicación. Pero ¡ojo!, tienes que usar las expresiones del cuadro.**

Por ejemplo:
– Es muy raro que Sofía y Kostas no estén en la clase hoy, porque ellos siempre vienen.
– Sí, pero es lógico, porque estos días hay exámenes en la universidad.

2.2. 👥 **Ahora eres tú el que está sorprendido, enfadado o contento por estas cosas. Coméntaselo a tu compañero.**

1. La máquina del café no tiene leche.
2. Vuestro profesor está muy nervioso.
3. El vídeo de la clase no funciona.
4. La próxima semana el centro organiza una fiesta mejicana.

3. ¿Con la cabeza o con el corazón?

3.1. 👥 **¿Sabéis expresar vuestros sentimientos? Lee esta encuesta y completa el último apartado con las preguntas que tú consideres más importantes. Después házsela a un compañero y pídele que te cuente alguna de sus experiencias.**

1. En el trabajo

a) ¿Sabes aceptar las críticas u observaciones de tus compañeros? ¿Cómo reaccionas?

b) Cuando algo no te gusta, ¿te callas o lo comentas?

c) ¿Eres delicado o brusco a la hora de hacer un comentario a un colega?

d) ¿Pides consejo o ayuda si es necesario? ¿Cómo te sientes cuando lo haces?

e) ¿Tienes relaciones con tus compañeros fuera del ámbito laboral?

2. Con los amigos

a) ¿Crees que entre los amigos siempre ha de prevalecer la verdad aunque duela?

b) ¿Con tus amigos compartes tanto los momentos buenos como los malos?

c) ¿Has dicho alguna vez a un amigo una mentira piadosa? ¿Por qué? ¿Cómo te sentiste?

d) ¿Sientes a menudo que das más de lo que recibes?

3. Con la familia

a) ¿Tu familia siempre está enterada de lo que te pasa?

b) ¿Sientes que tu familia te apoya en tus decisiones?

c) ¿Estás disponible para escucharles y aconsejarles en cualquier momento?

d) Cuando discutes con algún familiar, ¿cómo te sientes?

4. Con tu pareja

a) _____

b) _____

c) _____

d) _____

4. Un poco de teatro

4.1. Elige una situación y lee el papel que te ha tocado. Piensa qué vas a decir e imagina, además, qué te pueden contestar; así estarás mejor preparado para reaccionar rápida y adecuadamente.

Situación	ALUMNO A	ALUMNO B
1	Estás en casa descansando un sábado por la tarde. De pronto llaman a la puerta; cuando la abres, te encuentras con un desconocido.	Por razones de trabajo te has trasladado a una nueva ciudad. Recuerdas que allí vive un compañero de universidad al que no ves desde hace 10 años. Has buscado su dirección y un sábado por la tarde te presentas en su casa.
2	Hoy por fin te has licenciado y para celebrarlo das una fiesta. A las 12 de la noche, cuando mejor lo estáis pasando, llaman a la puerta y te encuentras a tu vecino de al lado muy enfadado.	Tu vecino de al lado es un estudiante bastante alborotador. Casi cada día se reúne con amigos en la casa y se quedan hasta muy tarde haciendo ruido. Hoy son las 12 de la noche y no te dejan dormir; como mañana tienes que madrugar, vas a su casa muy enfadado.
3	Un compañero de clase te invita a pasar el fin de semana en su casa de campo. Te ha invitado a varias cosas más veces, pero tú nunca has podido ir. Te da pena decirle que no otra vez, porque es muy simpático, pero este fin de semana has quedado ya con una amiga que hace tiempo que no ves.	En tu clase hay un chico de otra ciudad que te cae muy bien. Además, te da un poco de pena, porque sabes que no tiene muchos amigos. Le has invitado varias veces a hacer algo juntos pero nunca ha podido. Hoy le invitas a pasar el fin de semana en la casa de campo de tus padres.

5. Vamos a analizar

5.1. Piensa en lo que ha ocurrido mientras hacías el ejercicio anterior y coméntalo con tus compañeros.

1. ¿Cómo te has sentido durante la realización del ejercicio? (Nervioso, cómodo, divertido, ridículo...)

2. En general, ¿te parece que lo has hecho bien?

3. En una situación similar con un hispanohablante, ¿crees que lo harías mejor o peor?

4. ¿Te has bloqueado en algún momento?

5. Si es así, ¿por qué?

    a) No recordaba una palabra.   c) No entendí algo que mi compañero me decía.

    b) No sabía qué decir.   d) Otros: _____

6. ¿Has superado el bloqueo?

7. Si es así, ¿cómo lo has logrado?

   a) Me ha ayudado mi compañero, cambiando de tema.

   b) Me ha ayudado mi compañero, completando mi frase.

   c) He buscado otra forma de decir lo que quería.

   d) He recurrido a otras estrategias: mímica, dibujo, otra lengua...

8. Si tu compañero se ha bloqueado, ¿cómo te has sentido en ese momento? ¿Has hecho algo para ayudar a superar la situación?

9. En este tipo de actividades, ¿crees que es más importante hablar correctamente o hablar con fluidez?

10. ¿Crees que este tipo de ejercicios son útiles? ¿Por qué?

11. ¿Piensas que has aprendido algo haciendo este juego de rol?

6. En todas partes cuecen habas

6.1. 👥 👥 Vamos a trabajar en grupos de cuatro. Aquí tenéis fotos de varias personas.

a) Para empezar, debéis elegir cuatro, que formarán parte de una familia: pueden tener la relación que queráis.

b) Decidid también el nombre de vuestra familia y sus miembros.

c) A continuación, cada uno elegirá a uno de los miembros y lo describirá (atendiendo a sus gustos, preocupaciones, deseos...).

d) Después debéis decidir cómo son las relaciones entre ellos y qué problemas tienen.

e) Finalmente presentaréis a vuestra familia ante la clase, representando el papel de la persona elegida.

7. ¿Verdad o mentira?

7.1. Aquí tienes unas frases donde se dicen algunas cosas sobre las relaciones familiares en España. Pero ¡cuidado!, no todas son verdaderas. Discútelo con tus compañeros e intentad descubrir las frases falsas.

Los padres ayudan económicamente a sus hijos.

Es casi obligatorio comprar una casa para los hijos, especialmente si son mujeres.

Los hijos se van muy pronto de casa, alrededor de los 18 años.

Los niños que nacen en una familia llevan siempre el nombre de sus abuelos.

En la actualidad está permitido el matrimonio entre dos personas del mismo sexo.

La mayoría de la gente se casa por la Iglesia.

Las familias españolas tienen una media de tres hijos.

Muchos jóvenes de 30 años todavía viven con sus padres.

A veces los abuelos viven con la familia, es decir, con sus hijos y con sus nietos.

Con frecuencia los abuelos cuidan de sus nietos, mientras los padres del niño trabajan.

7.2. ¿Y en tu país? ¿Qué es igual? ¿Qué es diferente?

unidad 4

OBJETIVOS

- Expresar estados físicos.
- Hablar de salud y bienestar.
- Describir síntomas y enfermedades.
- Aconsejar y buscar remedios.

CONTENIDOS LINGÜÍSTICOS

- Imperativo afirmativo y negativo.
- *Yo que tú, en tu lugar, creo que* + condicional.
- *Lo mejor sería, podrías, te aconsejo* + infinitivo.

1. ¡Ay, qué malito estoy!

En esta unidad vamos a hablar de enfermedades y síntomas; además, vamos a buscar y dar remedios para estar en plena forma.
Empezamos hablando de enfermedades bastante usuales.

1.1. A continuación tienes la descripción de seis dolencias bastante frecuentes. En primer lugar, averigua con tu compañero de qué enfermedad se trata y, a continuación, dad dos o tres consejos, como en el ejemplo, para prevenirla o remediarla.

---

conjuntivitis – bulimia – obesidad – caries – **gastroenteritis** – insomnio

dolor de cabeza – otitis – gripe – anemia – dolor de espalda – diarrea

---

Los primeros síntomas de esta enfermedad son la pérdida de apetito y náuseas, seguidas de diarrea. Poco después se producen accesos de vómito y movimientos intestinales, con diarreas, dolores y espasmos abdominales, fiebre y extrema debilidad.

Alumno A: Creo que se trata de gastroenteritis.

Alumno B: Sí, tienes razón. ¿Sabes cómo se puede evitar?

Alumno A: Mira aquí dice: "**Lávese** las manos y las uñas antes de manipular alimentos, **evite** tomar alimentos que hayan permanecido más de un día a temperatura ambiente antes de ser cocinados y **no toque** ningún animal mientras cocina". ¿Tú sabes cómo se puede curar?

Alumno B: Bueno, pues mi madre siempre me dice que en caso de gastroenteritis, **me quede** en casa descansando, **beba** gran cantidad de líquidos, **no ingiera** alimentos ni azúcar y que **no tome** ningún analgésico.

_____	Puede ser provocado por factores como el estrés, comer o beber excesivamente, un medio ambiente ruidoso o contaminado, dormir poco o demasiado, o un trabajo pesado.
_____	Al principio produce un dolor suave cuando se come algún alimento dulce, muy caliente o muy frío. En las últimas fases la pulpa se inflama y se produce un dolor persistente al comer dulces y sustancias calientes o frías; también se produce una inflamación de la encía.
_____	Esta enfermedad puede aparecer debido a preocupaciones, tensión o depresión, aunque también pueden causarla el dolor, un medio ambiente incómodo o desconocido, la necesidad de orinar con frecuencia y numerosas enfermedades y trastornos. Las consecuencias se padecen durante el día siguiente, ya que conlleva somnolencia, falta de concentración e irritabilidad.
_____	Los signos son enrojecimiento del blanco del ojo, lagrimeo, dolor y sensación de tener algún cuerpo extraño, como arena, en el ojo, irritación ante la luz intensa, picor y en muchos casos inflamación de los párpados.
_____	Los síntomas más comunes son la somnolencia, la palidez y la dificultad para respirar. Algunas veces también se presentan palpitaciones e insuficiencia cardiaca. En los casos graves, el enfermo experimenta desvanecimientos, sudoración e hipotensión.
_____	Los síntomas son escalofríos y fiebre, que en algunas ocasiones alcanza hasta los 39 ^{0}C, estornudos, dolor de cabeza, malestar general, dolores musculares y articulares, e irritación de garganta; a continuación aparece una tos seca y dolor en el pecho; más adelante la nariz empieza a secretar mucosidades.

ENFERMEDAD	PREVENCIÓN	REMEDIOS

2. Consejos caseros

Para describir síntomas:	**Para dar consejos:**
Me duele/n... No me encuentro bien. No me siento bien. Estoy un poco "pachucho".	*Yo que tú* + condicional. *En tu lugar* + condicional. *Creo que* + condicional. *Lo mejor sería* + infinitivo. *Podrías* + infinitivo. *Te aconsejo* + infinitivo. Imperativo afirmativo/negativo.

Alumno A

2.1. **A continuación tienes una lista con diversos problemas de salud. En primer lugar, complétala. Después tu compañero te pedirá consejo sobre algunos de ellos. Dale alguna solución utilizando las expresiones del cuadro. Después el hará lo mismo con tus problemas.**

1. No puedo dormir. Me paso la noche contando ovejitas y ¡nada!
2. No sé qué hacer. Cada día estoy más gorda y, sinceramente, no como demasiado.
3. Estoy todo el día cansado. Me levanto y es como si no hubiera dormido nada.
4. ¡Ay! ¡Qué dolor de muelas! Me parece que no tenía que haberme comido el helado de chocolate.
5. Me duele continuamente la cabeza. No se me pasa ni tomándome una aspirina.
6. Ayer hice cuatro horas de gimnasia y hoy me duele todo el cuerpo.
7. Me encanta el café, tomo cinco o seis tazas al día.
8. _____
9. _____
10. _____

Alumno B

2.1. **A continuación tienes una lista con diversos problemas de salud. En primer lugar, complétala. Después tu compañero tiene también algunos de estos problemas. Dale algún consejo utilizando las expresiones del cuadro, como él ha hecho anteriormente.**

1. ¡Ay! ¡Mi cabeza! ¡Me arde!
2. He pasado cuatro horas en la playa y estoy como una gamba.
3. Los últimos días no como casi nada. Todo me sienta mal y lo vomito.
4. Trabajo muchísimas horas y casi no duermo.
5. ¡Ah! Estoy hinchada. Voy al aseo pero no..., ya sabes.
6. Ayer estuve en una fiesta estupenda y bebí más de la cuenta. Y hoy tengo una resaca de miedo. Me duelen la cabeza y el estómago.
7. Últimamente por la noche me duelen mucho los ojos; me lloran y se me nubla la vista.
8. _____
9. _____
10. _____

3. Más vale prevenir que curar

3.1. 🔊))) **A continuación vas a escuchar una entrevista al doctor José Martínez, en la que se habla de una de las enfermedades producidas por el estilo de vida actual: el estrés.**

PISTA 5

¿Crees que tienes algunos de los síntomas descritos? ¿Cuáles?

Síntomas: _____

Causas: _____

Remedio: _____

3.2. El profesor va a escribir en la pizarra todos los síntomas "estresantes" de la clase. Entre todos, dad soluciones.

4. ¿Medicina tradicional o alternativa?

Cuando estás enfermo, ¿a qué tipo de medicina recurres? ¿Has oído hablar de las medicinas alternativas? Si no, pregunta a tus compañeros o a tu profesor.

A continuación tu compañero y tú tenéis dos cuadros con diversas medicinas alternativas. Tú tienes las características de las que aparecen en su cuadro y él de las que aparecen en el tuyo. Si no sabes en qué consiste, primero habrás de hacer hipótesis sobre los nombres que aparecen en tu lista. Después, hablando con tu compañero, une cada explicación con la medicina correspondiente.

Alumno A

acupuntura

aromaterapia

reflexología podal

yoga

Consiste en administrar al paciente pequeñas dosis de sustancias que, si se aplicaran a personas sanas y en cantidades superiores, provocarían síntomas parecidos a los que pretende curar. Se utilizan sustancias vegetales, minerales y animales, que se diluyen en dosis infinitesimales y se convierten en medicamentos eficaces, sin efectos secundarios. El diagnóstico tiene en cuenta que el cuerpo es parte de un todo, que existe una relación entre lo físico, el temperamento, los afectos, el estilo de vida, etc., y así poder reestablecer el equilibrio general.

Utiliza las posibilidades de la música para inducir emociones o placer como remedio terapéutico. Puede ser utilizada en diversas áreas como en pediatría, psiquiatría y geriatría. Estudios recientes han mostrado que enfermos con Alzheimer pueden mejorar su comportamiento espacio-temporal después de escuchar música apropiada; y que puede modificar el comportamiento humano.

Se utiliza con éxito para aumentar la creatividad y la capacidad de resolver problemas, para disminuir la ansiedad, para mejorar la autoestima, para manejar el estrés, etc.

Se utiliza el ozono para el tratamiento de patologías ortopédicas y vasculares, ya que actúa como anti-inflamatorio, analgésico, antibacteriano y virustático. Según diversos estudios, esta medicina puede reducir el dolor debido a alteraciones posturales, mejorar los ciclos del sueño, mejorar la microcirculación, etc.

Busca reestablecer la salud a través de remedios vegetales (extraídos de raíces, hojas, tallos, flores, semillas y frutos). Considera que hay una especie botánica capaz de curar cada enfermedad. Según los resultados obtenidos, puede ser útil para problemas digestivos, pancreáticos, pulmonares, de piel, circulatorios y nerviosos. Eso sí, los preparados deben consumirse por prescripción médica para evitar cualquier tipo de toxicidad.

Alumno B

musicoterapia

ozonoterapia

homeopatía

fitoterapia

Por medio de masajes en pies y manos se tratan enfermedades, pues este tratamiento parte de la teoría de que en ellos están reflejados todos los órganos y funciones vitales. Estimula los puntos que se hallan en estas zonas, sobre todo en la planta de los pies, para mejorar el bienestar físico.

Se basa en la aplicación de óleos y aceites esenciales de plantas aromáticas y especias con efectos curativos físicos, mentales y emocionales. Trabaja con más de ochenta esencias, que se usan como tópicos, inhalaciones o baños.

Técnica empleada por la medicina china, considera que todo lo que existe en el universo se compone de dos polos opuestos que se complementan, por lo que la enfermedad se debe a una descompensación en los dos polos del cuerpo. Se introducen agujas en determinados puntos que, al ser estimulados, modulan el paso de la energía –aumentando o disminuyendo su flujo– para lograr la armonía entre fuerzas positivas y negativas (el yin y el yang) y recuperar la salud. Obtiene buenos resultados contra el reumatismo, la ansiedad, el insomnio, la hipotensión y la hipertensión.

Sistema que pretende lograr una profunda relajación, tranquilidad y concentración junto con una mayor flexibilidad y vigor físicos. Propone unas seiscientas posturas que, entre otras funciones, activan músculos que raramente se mueven y provocan masajes naturales, permiten estirar zonas normalmente contraídas y relajan músculos y tendones tensionados.

5. Mente sana en cuerpo sano

Historial clínico: Vamos a ver si estáis sanos o no.

Alumno A

5.1. **Completa la siguiente ficha con las respuestas de tu compañero. Una vez que hayas contestado tú a sus preguntas, comparad vuestras respuestas y anotad las similitudes y diferencias.**

Enfermedades: _____

Vacunas: _____

Alergias: _____

Operaciones: _____

Otros comentarios: _____

_____

Alumno B

5.1. **Contesta a las preguntas que te haga tu compañero. Completa la siguiente ficha con sus respuestas. Comparad vuestras respuestas y anotad qué similitudes y diferencias tenéis.**

Enfermedades: _____

Vacunas: _____

Alergias: _____

Operaciones: _____

Otros comentarios: _____

_____

5.2. **¿Qué aspectos de la vida diaria deberíamos cuidar más para no enfermar?**

Ejemplos: *Hay que ver la vida con optimismo.*
              Creemos que deberíamos comer equilibradamente.

5.3. **Comentad a los demás compañeros vuestros resultados.**

5.4. **Elegid entre todos los cinco aspectos que consideréis más importantes para estar sanos.**

NUESTROS PLANES Y EXPECTATIVAS

unidad 5

OBJETIVOS

- Hablar de planes.
- Hacer predicciones.
- Expresar deseos de hacer algo.
- Excusarse por no poder hacer algo que nos proponen.

CONTENIDOS LINGÜÍSTICOS

- *Ir a* + infinitivo.
- El futuro.
- Marcadores de futuro.
- *Me gustaría, tengo ganas de, me apetece* + infinitivo.
- *Es que...*

1. Hablando del futuro

1.1. 🔊 **Escucha estos diálogos, en los que varias personas hablan del futuro cercano y señala qué se expresa en cada uno de ellos.**

PISTA 6

	Diálogo n.º
Un plan que se ha programado.	
Una predicción.	
Algo establecido, que no depende de la voluntad de nadie.	

1.2. 🔊 **Escúchalos otra vez y anota qué tiempos y expresiones de futuro se utilizan.**

PISTA 6

Diálogo n.º	Formas verbales	Expresiones de tiempo

2. Planes para el fin de semana

2.1. **¿Qué podéis hacer juntos tu compañero y tú este fin de semana? Antes de nada, señala en tu columna tus planes. Después, pregunta a tu compañero los suyos. ¿Coincidís en algo?**

¡Recordad! Hablamos de planes, por lo que utilizamos presente, *ir a* + infinitivo, o *pensar* + infinitivo.

	Tú	Él / Ella
Ir al cine.		
Ir de excursión.		
Ir de copas.		
Ir de compras.		
Ver una película en DVD.		
Cenar en un restaurante.		
Ir al campo.		
Ver el fútbol.		
Ver una obra de teatro.		
Ir a un concierto.		
Salir con amigos.		
Esquiar.		
Nadar en la piscina.		
Ir a la playa.		

3. Morfología del futuro

En los diálogos 2 y 5 del ejercicio 1.1 se utiliza el futuro de indicativo. Vamos a practicar cómo se forma.

Alumno A

3.1. Aquí tienes algunas frases con verbos en futuro. Subráyalos y escríbelos en la columna correspondiente. Después, intenta separar la terminación.

No estoy seguro, pero creo que María y yo compraremos una casa dentro de poco. Jaime y Eva se alegrarán mucho con tu regalo, ya verás.

Persona	Verbo	Terminación
(yo)		
(tú)		
(él, ella, usted)		
(nosotros/-as)		
(vosotros/-as)		
(ellos/-as, ustedes)		

3.2. **Tu compañero tiene las personas que faltan. Pregúntaselas y completa el cuadro.**

Alumno B

3.1. Aquí tienes algunas frases con verbos en futuro. Subráyalos y escríbelos en la columna correspondiente. Después, intenta separar la terminación.

Este fin de semana tengo mucho trabajo, así que estaré en casa. Vosotras, ¿iréis de excursión?

Según han dicho en la tele, el lunes lloverá.

Persona	Verbo	Terminación
(yo)		
(tú)		
(él, ella, usted)		
(nosotros/-as)		
(vosotros/-as)		
(ellos/-as, ustedes)		

3.2. 👥 **Tu compañero tiene las personas que faltan. Pregúntaselas y completa el cuadro.**

3.3. ¿Y los irregulares? Hay algunos verbos que no se forman con el infinitivo, sino con una raíz irregular. Entre los dos intentad encontrar el infinitivo de estas formas:

podremos _____   vendremos _____

sabré _____   dirán _____

querrás _____   pondré _____

harán _____   tendréis _____

saldrá _____   habrá _____

cabrás _____   valdrán _____

4. Práctica del futuro con predicciones

4.1. ¿Has estado alguna vez en la consulta de un vidente? ¿Qué métodos para predecir el futuro conoces?

4.2. La adivina Rascayú utiliza una bola de cristal. María ha ido a visitarla. ¿Qué ve sobre su futuro?

Ejemplo: *Yo creo que María se casará con ese hombre, ¿no?*

5. ¿Lo harán o no lo harán?

5.1. 🔊 **Escucha a estas personas y decide con tus compañeros si finalmente realizarán las acciones que mencionan. ¿Qué expresiones te han ayudado a saberlo?**

PISTA 7

	Sí	No	No sabemos	Expresión
Juan – ir al cine				
María – ir a la fiesta				
Pedro – ir de excursión				

Alumno A

5.2. 👥 **Tu compañero va a proponerte hacer cosas juntos. Respóndele teniendo en cuenta lo que aparece a continuación y utilizando las expresiones anteriores.**

Este fin de semana estás muy cansado, por lo que te apetece quedarte en casa. Por lo único que sacrificarías tu descanso es por ir a ver a tu cantante favorito, pero estás tan cansado que ni de eso estás seguro.

5.3. 👥 **Ahora cambiamos los papeles. Eres tú el que va a proponer a tu compañero hacer algo juntos este fin de semana. Tienes muchos planes: ver una obra de teatro, ir al club de música latina Fuego, del que te han hablado mucho, y cenar en un nuevo restaurante español que han abierto en tu ciudad.**

Alumno B

5.2. 👥 **Te apetece mucho salir con tu compañero este fin de semana. Proponle hacer algo juntos. Quieres ver la película El cielo sobre Madrid desde hace tiempo y, además, tienes entradas para el concierto de Los Pitels.**

5.3. 👥 **Ahora cambiamos los papeles. Él va a proponerte hacer cosas. Éste es tu papel:**

Este fin de semana quieres probar la comida de un nuevo restaurante español que han abierto en tu ciudad, pero no quieres ir solo. Es un poco caro y no sabes si tendrás dinero para hacer más cosas además de esto.

6. Organización de un viaje

6.1. 👥👤 **En grupos de tres. Este fin de semana tus compañeros y tú vais a ir a la isla Mediorca. Mirad el mapa y poneros de acuerdo sobre plan de viaje. Luego contádselo al resto de la clase.**

Por ejemplo: *Nosotros vamos a visitar la catedral; si tenemos tiempo iremos a…*

7. Expresión de deseos

7.1. El pobre Federico lleva una vida terrible. Lee lo que dice e imagina qué deseos crees que expresa para el próximo año.

Estos últimos años no hago más que trabajar y por la noche llego a casa tan cansado que no me apetece hacer nada. Antes salía mucho, veía a mis amigos casi todos los días, iba mucho al cine, jugaba al fútbol... Ahora mis fines de semana son muy aburridos, sólo limpio la casa y veo la tele.

8. Propósitos para el futuro

Muchos de nosotros queremos hacer cambios en nuestra vida o en nuestra forma de comportarnos. También hay cosas que queremos hacer, pero nunca encontramos tiempo.

8.1. ¿Qué planes e intenciones tienes tú para el futuro? Coméntaselo a tus compañeros para ver si coinciden.

dejar de fumar	trabajar más/menos	ir más al cine
ir al gimnasio	enfadarte menos	disfrutar más
leer más	no tomarte las cosas tan en serio	salir más/menos
gastar menos dinero		

Por ejemplo:
– *A mí me gustaría dejar de fumar, pero no sé si podré.*
– *Pues yo seguro que voy a dejarlo.*

Si estás interesado en presentarte a un examen para obtener un diploma de español, es muy probable que en una de las pruebas orales tengas que reaccionar ante algún estímulo gráfico (fotos, imágenes, dibujos, etc.). Por eso, vamos a intentar practicar para hacerlo mejor.

**1. Describe a la persona que aparece en una de estas imágenes.
Pero no digas de cuál se trata, ya que tu compañero debe identificarla.**

Haced lo mismo cambiando los papeles.

Entre toda la clase, podéis hacer una lista con el vocabulario más útil para realizar este tipo de actividades, agrupado por campos temáticos. Organizar así el vocabulario os será muy útil.

2. Ahora vamos a intentarlo con la descripción de lugares. Tenéis dos imágenes muy similares, pero con algunas diferencias importantes. En total hay diez. Tratad de encontrarlas, pero eso sí: ¡no hay que mirar el dibujo del compañero!

Alumno A

Alumno B

3. Parafrasear.

En numerosas ocasiones hay objetos, personas o lugares que no podemos o no sabemos nombrar. Para los hablantes nativos de una lengua, esto no suele ser un problema. ¿Cómo resuelven esta situación? Escucha estos diálogos y lo sabrás.

PISTA 8

> – Pues me dijeron que fueron de fin de semana a... ¿cómo se llamaba ese pueblo tan bonito donde estuvimos con tus padres?
> – ¿Medinaceli?
> – Sí, hombre, Medinaceli. Les encantó.
>
> – Oye, ¿me das eso que sirve para abrir las botellas?
> – ¿El sacacorchos?
> – Sí, eso. ¡Gracias!
>
> – ...y tuvimos que llamar al señor que hizo los muebles.
> – ¿Al ebanista?
> – Sí, eso es.

¿Qué hacen aquí los nativos? Lo mismo lo puedes hacer tú cuando no encuentres o no sepas una palabra.

Para practicarlo podemos jugar un poco. Haz que tus compañeros entiendan de qué palabra estás hablando sin referirte a ella (y, por supuesto, sin traducir a otro idioma). El turno pasa a la persona que encuentre la palabra.

Ejemplo: *biblioteca* → *Es un lugar donde hay muchos libros y te los dejan llevar a casa.*

médico	taxi	frigorífico
mecánico	elefante	lápiz
camarero	tomate	ordenador
ducha	bombero	avión

1. Ha llegado el turno de la acción. ¿Qué está pasando en estas imágenes? Tu compañero tiene otras diferentes. ¿Podéis poner la historia en orden entre los dos? Intentad no mirar las imágenes del otro.

Alumno A

Alumno B

¡VIVA EL SÉPTIMO ARTE!

unidad 6

OBJETIVOS

- Describir argumentos de películas y opinar sobre ellas.
- Describir impresiones.
- Aceptar o rechazar propuestas, dando justificaciones.

CONTENIDOS LINGÜÍSTICOS

- Adjetivos para calificar una experiencia: *fantástico, increíble...*
- Tiempos del pasado.
- Vocabulario relacionado con el cine.
- *¿Por qué no...?*
- *Interesar, apetecer, preferir...*
- *Vale, bueno, perfecto...*
- *Es que... Lo siento, pero...*
- *Ir bien/mal.*

1. La gran pantalla

> *fantástico, increíble, inolvidable, una obra de arte*
>
> *horroroso, terrible, decepcionante, un rollo, aburrido, pesado, un muermo*
>
> *normal, regular, pasable*

1.1. ¿Recuerdas la primera película que viste? ¿Qué sensaciones te invadieron? Escucha o lee los siguientes comentarios. ¿Coincides con alguno de ellos? ¿Cuáles fueron tus primeras impresiones?

PISTA 9

> ¡Fue fantástico! Tenía 10 años y mis padres me llevaron a ver una película de dibujos animados. El sonido, la imagen, los colores... Fue una experiencia inolvidable. Creo que ahí empezó mi amor por el cine.

> Han pasado muchísimos años, pero todavía recuerdo que salí de la sala enamorada del protagonista, y eso que entonces las películas eran en blanco y negro.

> ¡Una decepción! No sé si fue la película o la sala, que no tenía las condiciones adecuadas, pero a mí no me conquistó la magia del cine. No me gustan demasiado las películas comerciales, prefiero que tengan cierto aire experimental.

1.2. ¿Qúe recuerdas de aquella primera película?

_____

_____

_____

2. Estrellas en la tierra

¿Sabes quiénes son los siguientes actores?

Alumno A

2.1. 👥 **Tu compañero te leerá unas breves biografías y tú tratarás de adivinar de quién se trata. Después serás tú quien lea las biografías que tienes y él intentará adivinar de quién estás hablando. Si no sabe quién es, le puedes echar una mano.**

✓ De ascendencia italiana.
✓ Gran número de películas de todos los géneros.
✓ Personajes famosos: taxista y mafioso.

✓ Inicios: presentadora de televisión.
✓ Protagonista de películas de Pedro Almodóvar.
✓ Relación con Tom Cruise.

✓ Especialidad: comedias románticas.
✓ Separada de un actor.
✓ Protagonista de Tienes un e-mail, con Tom Hanks.

✓ País de nacimiento: Puerto Rico.
✓ 2000: Oscar al mejor actor secundario (Traffic).

Alumno B

2.1. 👥 **Léele a tu compañero las biografías que tienes y él intentará adivinar de quién estás hablando. Si no consigue adivinar quién es, puedes echarle una mano. espués te tocará a ti adivinar a quiénes corresponden las biografías que te lea tu compañero.**

✓ Protagonista de Los otros.
✓ Nacionalidad: australiana.
✓ Divorciada de Tom Cruise.

✓ Actriz y cantante.
✓ De origen portorriqueño.
✓ Afición: casarse y divorciarse.

✓ Nacionalidad: española.
✓ 2000: mejor actor en el Festival de Venecia.
✓ Protagonista de Mar adentro.

✓ Lugar de residencia: Francia.
✓ Nacionalidad: estadounidense.
✓ Protagonista de dos películas de piratas.

unidad 6

3. Sobre gustos...

Alumno A
A continuación tienes la definición de varios géneros cinematográficos y el nombre de otros que no corresponden a los tuyos.

3.1. Con la ayuda de tu compañero intenta completar el cuadro. Y después ayuda a tu compañero a completar el suyo.

3.2. Al final quedarán algunos géneros por definir. Dad entre los dos una definición lo más detallada posible.

3.3. ¿Podríais añadir algún género más? ¿Recuerdas alguna película que corresponda a estos géneros? ¿Qué te parecen? ¿Te gustan?

películas biográficas	
películas de animación	
películas de suspense	
películas de terror	
películas de acción	
películas musicales	
cine mudo	
	La acción tiene lugar en el lejano Oeste; pistolas, polvo, carrozas e indios son los protagonistas.
	Con este tipo de películas nos trasladamos a mundos desconocidos y a través de efectos especiales, maquillaje, iluminación, etc., podemos vivir experiencias «virtuales».
	Dicen que todas las personas deberíamos reír varias veces a lo largo del día para evitar enfermedades y alargar nuestras vidas. Este tipo de películas seguro que te ayudarán.
	Muestran conflictos entre varios países, normalmente reflejo de algún acontecimiento histórico, donde los protagonistas suelen ser las armas.
	Cupido invade con sus flechas toda la pantalla.

Alumno B
A continuación tienes la definición de varios géneros cinematográficos y el nombre de otros que no corresponden a los tuyos.

3.1. En primer lugar ayuda a tu compañero a encontrar cómo se llaman los géneros que él tiene definidos en su cuadro y después, con su ayuda, completa el tuyo.

3.2. Después intentad definir los géneros que no tienen ninguna explicación.

3.3. ¿Podríais añadir algún género más? ¿Recuerdas alguna película que corresponda a estos géneros? ¿Qué te parecen? ¿Te gustan?

películas bélicas	
películas policiales	
películas históricas	
películas del oeste	
películas de ciencia-ficción	
películas románticas	
películas cómicas	
	Se utilizan gestos y expresiones en lugar de palabras, que aparecen escritas en recuadros negros y enmarcados.
	En este tipo de películas suele haber muchos crímenes, sangre..., para producir miedo.
	En estas películas el sonido tiene un papel fundamental, de modo que la acción o los protagonistas se desenvuelven en un ambiente «artístico».
	Aparecen escenas llenas de tensión, de misterio, de crímenes no resueltos..., hasta que llega el final.
	Los protagonistas suelen ser muñecos o dibujos divertidos y alegres. Este tipo de películas gusta sobre todo a los niños o a adultos con corazón de niño.

4. ¡Qué peliculón!

> *La película tiene lugar en...*
> *Trata de... / Va de...*
> *El director es...*
> *El protagonista / los protagonistas es /son...*
> *Es una película romántica...*
> *Lo mejor de la película es /son...*

4.1. 🔊 **Todos tenemos una película que nos ha dejado un sabor especial de boca y cuando nos acordamos de ella se nos dibuja una media sonrisa en los labios. Primero escucha los comentarios de un cinéfilo. ¿Sabes de qué película habla? ¿Por qué le gusta?**

PISTA 10

4.2. ¿Cuál es tu película favorita? ¿Podrías explicárnosla contándonos todos los detalles posibles?

Por ejemplo: *A mí me gusta mucho* La vida es bella. *Va de un padre en la II Guerra Mundial...*

unidad 6

5. Una imagen vale más que mil palabras

5.1. Vamos a dividir la clase en dos grupos. Cada grupo va a tratar de explicar mediante gestos el título de las películas que le han tocado; el otro grupo intentará adivinar de qué película se trata. Ganará el grupo que más películas acierte.

<table>
<tr><td align="center">**Grupo A**</td><td align="center">**Grupo B**</td></tr>
<tr><td>

Mar adentro - El padrino

Todo sobre mi madre

Lo que el viento se llevó

El señor de los anillos

</td><td>

La ciudad de los ángeles - Titanic

Mujeres al borde de un ataque de nervios

Casablanca

La guerra de las galaxias

</td></tr>
</table>

6. ¿Qué película me estás contando?

6.1. 👥 Reacciona usando las palabras o expresiones del recuadro según las indicaciones que te han tocado.

> ¿Por qué no...? • *Interesar, apetecer, preferir...* • *Vale, bueno, perfecto...*
> *Es que..., lo siento pero...* • *Ir bien/mal* • *Bueno, sí, pero...*

Alumno A

A continuación tienes algunas situaciones ante las que deberás reaccionar. Cuando aparezca el símbolo →, haz tú la propuesta a tu compañero; en cambio, cuando aparezca el símbolo ←, espera a que tu compañero te haga su sugerencia y reacciona.

1. → Propón a tu compañero ver una película de terror.

2. ← Este fin de semana tienes que terminar un trabajo muy importante, aunque te gustaría ir a ver la última película de Alejandro Amenábar; ¿qué puedes hacer?

3. → Quieres ir al cine a la sesión de las seis de la tarde.

4. ← No quieres ir con tu compañero al cine, porque no te cae muy bien, pero no quieres ofenderle. Excúsate amablemente.

5. → Quieres ir a ver una película de ciencia-ficción.

6. ← Te encanta el cine en general, pero sobre todo las películas de dibujos animados.

Alumno B

A continuación tienes algunas situaciones ante las que deberás reaccionar. Cuando aparezca el símbolo →, haz tú la propuesta a tu compañero; en cambio, cuando aparezca el símbolo ←, espera a que tu compañero te haga su sugerencia y reacciona.

1. ← Te encanta el cine en general exceptuando el cine de terror, lo aborreces.

2. → Quieres ir este fin de semana al cine a ver la última película de Alejandro Amenábar; sugiere a tu compañero que te acompañe.

3. ← A las seis de la tarde tienes cita en el dentista.

4. → Quieres invitar a tu compañero a una película de suspense, sabes que le encantan.

5. ← Te apetece ir a ver una película cómica.

6. → Te encantan las películas de dibujos animados.

7. Óscar a la... mejor memoria cinematográfica

Hay una serie de frases, palabras, gestos... que provienen de algunas películas y que se han hecho tan famosas como las propias películas.

¿Recordáis dónde o quién dijo las siguientes frases? ¿Podríais completar el cuadro con otras frases que consideréis «históricas»?

7.1. **Tras dividir la clase en grupos de unas cuatro personas cada uno, buscad la solución de las frases ya escritas y completad el cuadro. Ganará el grupo que más aciertos tenga.**

Frases	Películas
1. Teléeefono... mi caaasa.	E.T.
2. Hasta la vista, baby. Volveré.	
3. Bond, James Bond.	
4. ¿Me estás hablando a mí?	
5.	
6.	

8. Visitando la «fábrica de sueños»

Después de hablar tanto de cine, hemos decidido ir a ver una película que se adapte a los gustos de la clase.

8.1. **En primer lugar, vamos a entablar un debate sobre nuestras preferencias y creencias en torno al tema. Según vuestros gustos, formad grupos y dad argumentos apoyando vuestras posturas. ¿Qué tipo de película iremos a ver?**

Hábitos cinematográficos

¿Cuál es tu actor/actriz favorito/a? ¿Por qué?

¿Y tu director?

¿Has visto muchas películas españolas? ¿Cuáles?

¿Sabes qué son los Goya?

¿Qué tipo de cine de gusta, el europeo o el americano? ¿Por qué?

¿Te gusta ver películas en versión original o subtituladas?

¿Crees que el cine está en crisis, a causa de la televisión, del vídeo o DVD?

¿Crees que las películas pueden ser la tarjeta cultural de sus países?

¿Qué te muestra una película de su país de origen?

¿Crees que calidad y éxito taquillero van siempre unidos?

BLOQUE 2 — LOS VIAJES

unidad 7

OBJETIVOS

- Desenvolverse en una agencia de viajes, en una ciudad desconocida y en un hotel.
- Pedir y dar consejos.
- Expresar la opinión.
- Expresar gustos.
- Formular preguntas.

CONTENIDOS LINGÜÍSTICOS

- El condicional.
- *Aconsejar / recomendar* + subjuntivo.
- *Creo que, me parece que...*
- *Gustar, interesar...*
- Partículas interrogativas.

CONTENIDOS CULTURALES

- Las vacaciones de los españoles

1. ¡Llegan las vacaciones!

1.1. 🔊 Tres compañeros de trabajo mantienen una conversación en la oficina, en la que hablan de viajes. En concreto, uno le pide consejo a los otros. Escucha la grabación e intenta encontrar las expresiones que utilizan para pedir y dar consejos.

PISTA 11

PEDIR CONSEJOS

_____
_____
_____
_____

DAR CONSEJOS

_____
_____
_____
_____
_____

2. Un viaje a España

Alumno A

2.1. Vas a ir de vacaciones a una ciudad donde vive un amigo tuyo. Hablas por teléfono con él para que te aconseje cómo llegar hasta su casa. Tu problema es que vas a llevar mucho equipaje y no tienes mucho dinero.

2.2. Un amigo tuyo viene a visitarte a tu ciudad. Va a llegar en tren, pero no sabe cómo llegar a tu casa. Aconséjale el mejor camino. Pero antes, decide donde está tu casa, señalándolo en el mapa.

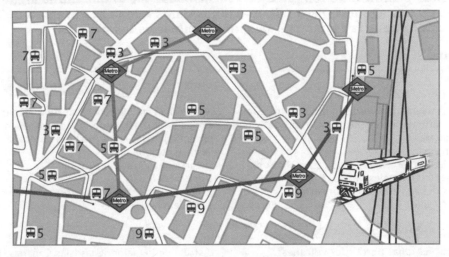

Alumno B

2.1. Un amigo te llama por teléfono para pedirte información sobre cómo llegar a tu casa desde el aeropuerto de la ciudad donde vives. Aquí tienes un plano de la ciudad, donde encontrarás la información necesaria para aconsejarle. Pero antes, decide dónde está tu casa, señalándolo en el mapa.

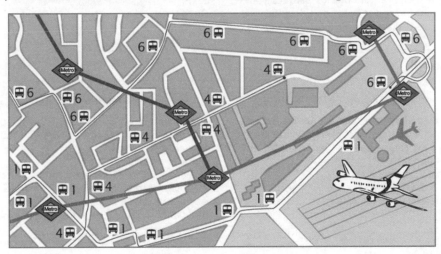

2.2. Llegas en tren a una ciudad para visitar a un amigo. Le llamas por teléfono para que te explique cómo llegar hasta su casa.

3. Un viaje a vuestra ciudad

3.1. En pequeños grupos, buscad cinco consejos que daríais a un extranjero que visita vuestra ciudad o vuestro país por primera vez. Cuando estéis de acuerdo, presentad vuestros consejos a la clase, en forma de exposición oral, justificando las razones de vuestra elección. Entre todos elegiréis los cinco más importantes.

Por ejemplo: *Nosotros le aconsejamos que vaya al Museo Municipal, que nos gusta mucho, y también...*

4. Viajes

4.1. 👥 **Estás planificando tus próximas vacaciones, por lo que miras algunos viajes en una agencia. Pero faltan algunos datos que debes preguntar. Tu compañero tiene la respuesta. Después cambiaréis los papeles**

Alumno A

Aventura Masai

Apasionante aventura africana en la que disfrutaremos de la naturaleza de la mano de tribus nativas del país, los Masai.
El precio incluye:
✓ Avión Madrid/Barcelona – _____ – Nairobi;
✓ Alojamiento en hoteles de _____ estrellas;
✓ Autobús desde y hacia el aeropuerto.
Duración: 7 días.   *Precio:* _____ euros.

Aventura en Costa Rica

Costa Rica es una tierra de volcanes, _____
_____
y _____ .
Esta naturaleza generosa hace difícil decidir entre la variada oferta de actividades, que incluye rafting, windsurf, _____, _____ y surf.
Vive una auténtica aventura por los parques y áreas naturales más espectaculares de Costa Rica.
Duración: _____ días.   *Precio:* 1.850 euros.

Atenas

Aprovecha esta oferta y escápate a Atenas. En esta ciudad podrás encontrar los contrastes entre la cultura griega y las características de una ciudad moderna y cosmopolita.
Excursiones y traslados incluidos.
Duración: 8 días.
Precio por persona en habitación doble:
  450 euros.

Lanzarote

Disfruta de lo mejor de las Islas Canarias. Lanzarote es una isla que tiene mucho que enseñar, con una temperatura maravillosa durante todo el año. Sus playas hacen que sea un destino ideal, pero esta isla tiene mucho más que ofrecerle, como el Parque Nacional de Timanfaya y la cueva de Los Verdes.
Duración: 5 días.   *Precio:* 565 euros.

Alumno B

Atenas

Aprovecha esta oferta y escápate a Atenas. En esta ciudad podrás encontrar los contrastes entre la cultura griega y las características de una ciudad moderna y cosmopolita.
_____ incluidos.
Duración: 8 días.
Precio por persona en habitación _____ : _____ euros.

Lanzarote

Disfruta de lo mejor de las Islas Canarias. Lanzarote es una isla que tiene mucho que enseñar, con una temperatura _____ durante todo el año. Sus playas hacen que sea un destino ideal, pero esta isla tiene mucho más que ofrecerle, como el
Y _____ .
Duración: 5 días.   *Precio:* 565 euros.

Aventura Masai

Apasionante aventura africana en la que disfrutaremos de la naturaleza de la mano de tribus nativas del país, los Maasai.
El precio incluye:
✓ Avión Madrid/Barcelona – París – Nairobi;
✓ Alojamiento en hoteles de 4/5 estrellas;
✓ Autobús desde y hacia el aeropuerto.
Duración: 7 días.   *Precio:* 1300 euros.

Aventura en Costa Rica

Costa Rica es una tierra de volcanes, impresionantes bosques y enormes cataratas. Esta naturaleza generosa hace difícil decidir entre la variada oferta de actividades, que incluye rafting, windsurf, buceo, pesca deportiva y surf.
Vive una auténtica aventura por los parques y áreas naturales más espectaculares de Costa Rica.
Duración: 11 días.   *Precio:* 1.850 euros.

5. ¿Y tú? ¿Qué viaje prefieres?

👥 **Vamos a elegir el mejor viaje para nuestro compañero de acuerdo con sus gustos. Puedes aconsejarle uno de los viajes del ejercicio anterior.**

Alumno A

5.1. Abajo tienes una encuesta que ofrece una agencia de viajes para orientar a los clientes indecisos. Si quieres, puedes añadir más preguntas. Házsela a tu compañero y aconséjale el viaje más adecuado para él. Por supuesto, tendrás que formular las preguntas correctamente.

5.2. Ahora tú vas a ser el cliente. Éste es tu papel:

- Quieres hacer un viaje, pero no estás decidido sobre el destino.
- No tienes mucho dinero.
- Te interesa mucho el arte, pero también la naturaleza.

Alumno B

5.1. Te diriges a una agencia de viajes para que te aconsejen un viaje para tus próximas vacaciones. Como estás muy indeciso, el empleado te va a ayudar haciéndote unas preguntas.

5.2. Ahora cambiamos los papeles. Tú trabajas en la agencia y tu compañero quiere hacer un viaje. Atiéndele y dile qué viaje es el más apropiado para sus características. Abajo tienes una encuesta que puedes hacerle para conocer sus gustos. Si quieres, puedes añadir más preguntas.

Encuesta

Destino	África	América	Asia	Europa	Oceanía
Medio de transporte	Coche	Autobús	Tren	Avión	Barco
Alojamiento	Hotel	Apartamento	Pensión	Camping	Libre
Régimen de alojamiento	Todo incluido	Media pensión	Alojamiento y desayuno	Sólo habitación	Libre
Época del año	Primavera	Verano	Otoño	Invierno	Cualquiera

6. ¿Y ellos?

6.1. Habla con tu compañero y decidid qué viaje le podría interesar a estas personas. Después, toda la clase adivinará de quién se trata.

Ejemplo: – *Le gusta viajar a países exóticos y conocer a los nativos.*
           – *Es Jaime.*

| Luis | Yolanda-Diego | Gonzalo | Jaime-Laura | Alicia-Pedro |

unidad 7

7. En el hotel

7.1. Vamos a aprender a hacer una reserva en un hotel. Pero antes, pensemos todos juntos qué te puede preguntar el empleado cuando llamas.

Por ejemplo: *Pues seguro que me pregunta qué tipo de habitación quiero...*

7.2. 🔊))) **Escucha ahora unas conversaciones en un hotel. Después contesta las siguientes preguntas:**

PISTA 12

1. ¿Qué quiere el cliente?
2. ¿Cómo lo pide?
3. ¿Qué pregunta el empleado del hotel?
4. ¿Es un diálogo formal o informal? ¿Por qué?

7.3. Ahora uno de vosotros será el recepcionista y el otro el cliente. Estudiad vuestros papeles.

RECEPCIONISTA	CLIENTE
Lee el folleto del hotel donde trabajas. Cuidado, tienes que decidir los precios de las habitaciones. Piensa también cualquier otra información que un cliente podría pedirte.	Vas a pasar unos días de vacaciones en el hotel Zenit. Llama por teléfono para reservar una habitación y preguntar todo lo que quieras saber.

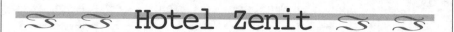

ʃ ʃ Hotel Zenit ʃ ʃ

El hotel se encuentra en la impresionante bahía de la ciudad, frente al puerto comercial. Reformado en 2005, cuenta con 98 habitaciones y 16 suites, además de jardín en la azotea, piscina, cafetería y un centro de convenciones.

Todas las habitaciones disponen de terraza, aire acondicionado, teléfono, conexión a Internet, televisión por satélite, frigorífico y secador de pelo.

Otros servicios

❧ *Servicio de habitaciones las 24 horas del día.*
❧ *Conexión gratuita a Internet.*
❧ *Servicio de fax, correo y mensajería.*
❧ *Alquiler de coches.*
❧ *Cambio de moneda extranjera.*

8. Volar por un euro

8.1. ¿Habéis oído hablar de las compañías aéreas de bajo coste? Entre todos, vamos a pensar unos argumentos a favor de este tipo de compañías y otros en contra. ¿Cuántos de vosotros preferiríais viajar con estas compañías y cuántos con las tradicionales? Explicad vuestros argumentos.

8.2. Ahora vamos a leer este texto aparecido en un periódico español. ¿Hay algo que no sabíais?

Con la aparición de las compañías de bajo coste, un billete de avión internacional puede costar menos que un viaje en tren dentro de un país. Esta revolución en el mundo de los viajes es posible gracias a ciertas estrategias empresariales. ¿Cuáles son?

Viajar en avión ya no es cosa de ricos, ya que ahora los billetes están al alcance de la mayoría de los bolsillos. Sin embargo, la bajada de los precios ha traído diversas consecuencias. Por ejemplo, en numerosas ocasiones son los pasajeros los encargados de cargar su propio equipaje o de preocuparse si van a comer o no a lo largo del viaje, ya que en su afán por ofrecer precios competitivos, estas compañías recortan todos los costes que no sean absolutamente necesarios.

La competencia ha hecho que las compañías tradicionales hayan tenido que adaptarse a los nuevos tiempos para no seguir perdiendo más clientes. Sirva como ejemplo el caso de España, donde en sólo unos años las nuevas empresas aéreas se encargan de una cuarta parte de los vuelos programados en el país.

Con la subida de los precios del petróleo, ¿cómo es posible ofrecer vuelos a un euro? La clave es eliminar todos los gastos, excepto los relacionados con la seguridad del vuelo. Vender los billetes por Internet o por teléfono, dejar de servir comidas y bebidas a bordo si no es previo pago, tener una flota de aviones del mismo modelo y operar en aeropuertos secundarios, donde las tasas que paga una compañía son mucho más bajas que las de los aeropuertos principales.

Por ejemplo: *Pues yo no sabía que no daban comida...*

9. Los españoles y las vacaciones

9.1. Lee este texto y discute con tus compañeros. ¿Qué es igual y qué es diferente en vuestro país?

En los últimos años hay muchos españoles que deciden no ir de vacaciones por motivos económicos o de trabajo, aunque algunos (el 10%) no lo hace porque prefiere no salir de su casa cuando no trabaja.

La mayoría prefieren pasar las vacaciones con su familia (78%), el 14%, con amigos y sólo el 2% viaja solo.

En cuanto a los destinos preferidos, el 65% prefiere viajar dentro de España, mientras que sólo un 15% viaja al extranjero.

El 70 % elige el coche para trasladarse a su lugar de vacaciones; el 14%, el avión; el 8,5%, el autocar; el 5%, el tren; el 4%, vuelos chárter; y el 2,5%, el barco.

El 32% de los españoles elige hoteles, paradores u hostales; el 28%, la casa de familiares o amigos; el 15% el chalé o apartamento propio; el 9%, el chalé o apartamento alquilado; el 7%, el camping o la caravana; y el 6%, casas rurales.

El 65% de quienes viajan en vacaciones opta por la costa, ya sea pueblo o ciudad, y el 25% se inclina por la montaña. Sólo el 9% elige un lugar en el interior.

LOS MEDIOS DE COMUNICACIÓN

unidad
8

OBJETIVOS

- Entender la información esencial de una noticia de los medios de comunicación orales o escritos, deduciéndola por el contexto si es necesario.
- Aprender el léxico relacionado con los medios de comunicación.
- Aprender recursos para expresar la opinión y para debatir.
- Contar una noticia.

CONTENIDOS LINGÜÍSTICOS

- *Creer, pensar que* + indicativo.
- *No creer, pensar que* + subjuntivo.
- *Para mí, en mi opinión...*
- Sinónimos del verbo decir *(declarar, explicar, añadir...).*
- Conectores discursivos.

CONTENIDOS CULTURALES

- Los medios de comunicación del mundo hispano.

1. Noticias del día

1.1. Para empezar, ¿has oído o leído hoy alguna noticia interesante? Coméntala con tus compañeros.

> He leído en el periódico que...
> He oído en el telediario que...
> Han dicho en la tele que...
> En el periódico dice que...

1.2. ¿Conoces algún medio de comunicación en español? ¿Cómo se llama? ¿Es un medio de la prensa escrita? ¿O quizás una cadena de televisión o una emisora de radio?

2. La portada

2.1. Aquí tienes diferentes publicaciones que podemos encontrar en un quiosco. Con tu compañero, intenta clasificarlas. Decidid además si son mensuales, semanales o diarias.

periódico – periódico deportivo – periódico gratuito – periódico financiero
periódico de anuncios – revista del corazón – revista de cine
revista de moda – revista de cocina – revista de la tele
revista de decoración – revista de literatura – tebeo/cómic

2.2. ¿Qué tipo de artículos piensas que podríamos encontrar en cada una de ellas?

3. Los titulares

3.1. 👥 **Vamos a centrarnos en el periódico. Tu compañero va a leerte los titulares de algunas noticias, tú debes colocarlas en la sección correspondiente.**

Alumno A

Sección	Noticia
Internacional	
Nacional	
Sociedad	
Deportes	
	Las moda española arrasa en los mercados internacionales.
	Detenido un joven por pirata informático.
	Se abre hoy la temporada de ópera.
	Lista la nueva sala del Museo Picasso.

Alumno B

Sección	Noticia
Economía	
Cultura	
Espectáculos	
Sucesos	
	Hoy la final de la Copa del Rey.
	El presidente promete menos impuestos.
	Elecciones generales en Chile.
	¿Cuánto costará mantener a nuestros abuelos?

3.2. ¿Se os ocurren otras secciones que podemos encontrar en un periódico? ¿Qué tipo de información nos ofrecen?

_____

_____

_____

4. Las noticias

4.1. ¿Qué medio de comunicación prefieres para informarte de una noticia? ¿Por qué? ¿Qué periódicos o revistas sueles leer? Pregunta a tus compañeros.

- Y tú, ¿qué prefieres: tele, radio o periódico?
- Yo, la tele, porque es más cómodo.
- Pues a mí me gusta oír la radio en el coche.

5. Las claves de una noticia

Después de la actividad sabrás que cualquier noticia responde a cinco preguntas fundamentales.

Alumno A

5.1. Lee esta noticia y completa la ficha que aparece al lado con los datos más importantes. A continuación, léesela claramente y con buena entonación a tu compañero, para que pueda completar su ficha.

5.2. Tu compañero te leerá su noticia. Rellena la ficha con los datos más importantes.

UNA PAREJA INCENDIA SU NEGOCIO PARA COBRAR EL SEGURO

S.H., Madrid

Agentes de la policía han detenido a una mujer y a su marido como presuntos autores de los incendios provocados a primeros de noviembre en tres comercios de la capital. La pareja quemó su propio asador de pollos con la finalidad de cobrar el seguro y, para disimular, incendió también un videoclub y una tienda de alimentación.

Los hechos ocurrieron en la madrugada del pasado cinco de noviembre. Los asaltantes rompieron los escaparates y después lanzaron artefactos explosivos al interior.

La pareja, ambos con antecedentes penales por varios delitos, planeó el incendio de las tres tiendas para cobrar el seguro de su negocio y para vengarse de la comunidad de vecinos, que los había denunciado por malos olores y ruidos, según fuentes policiales.

Tu noticia

Qué: _____
Quién: _____
Cuándo: _____
Por qué: _____
Dónde: _____

Noticia de tu compañero

Qué: _____
Quién: _____
Cuándo: _____
Por qué: _____
Dónde: _____

Alumno B

5.1. Tu compañero va a leerte una noticia. Rellena la ficha correspondiente con los datos más importantes.

5.2. Lee tu noticia y completa la ficha que aparece al lado. A continuación, léesela claramente y con buena entonación a tu compañero, para que pueda completar su ficha.

Tu noticia

Qué: _____
Quién: _____
Cuándo: _____
Por qué: _____
Dónde: _____

Noticia de tu compañero

Qué: _____
Quién: _____
Cuándo: _____
Por qué: _____
Dónde: _____

UN GRUPO DE CIENTÍFICOS HALLA LA "POMPEYA DEL ESTE" EN LA ISLA INDONESIA DE SUMBAWA

El mundo.es/Reuter

La erupción volcánica más potente de los tiempos modernos, ocurrida en la isla indonesia de Sumbawa en el año 1815, dejó tras de sí una ciudad sepultada y, hasta ahora, perdida. Su nombre: Tambora.

El resultado de aquel desastre fue la muerte de los 117.000 habitantes de la ciudad. La explosión fue tan grande que lanzó dióxido de sulfuro a 43 kilómetros de altura, lo que causó una reacción química en la atmósfera que provocó que 1816 fuera "el año sin verano" en la mayor parte del mundo.

Hace dos años, un grupo de científicos de varios países comenzó a cavar en el lugar donde antes de la erupción estaba situada Tambora. Ellos opinan que Tambora puede ser la Pompeya del Este y que tiene un gran interés cultural, ya que toda esa gente, sus casas y su cultura están allí encapsuladas como si fuera 1815.

6. Anuncios por palabras

Alumno A

6.1. Vas a pasar en España unos meses y buscas un piso para compartir; por eso quieres poner un anuncio en un periódico español. Redáctalo y llama por teléfono.

6.2. Trabajas en la sección de anuncios por palabras de un periódico español. Alguien llama por teléfono para dictarte un anuncio; toma notas y escríbelo en un papel.

Alumno B

6.1. Trabajas en la sección de anuncios por palabras de un periódico español. Alguien llama por teléfono para dictarte un anuncio; toma notas y escríbelo en un papel.

6.2. Estás viviendo es España y, para ganar un dinero extra, quieres trabajar dando clases particulares de tu idioma. Por ello quieres poner un anuncio en un periódico. Redáctalo y llama por teléfono.

6.3. Poned todos los anuncios en un lugar visible de la clase y leedlos. ¿A cuál contestarías?

Por ejemplo: – *Diga.* – *Hola, buenos días. Quería poner un anuncio.*
                – *Sí, tomo nota...* – *...*

7. El mando a distancia

7.1. Estás en casa con tu compañero mirando el programa de la televisión para decidir qué vais a ver esta noche. ¿Quién encontrará los mejores argumentos y logrará convencer al otro?

  – *Hoy me apetece ver...*   – *Prefiero ver...*   – *(No) tengo ganas de ver...*

No te gustan las películas de aventuras.
Estás planeando un viaje a Latinoamérica.
Esta noche quieres ver algo ligero.

Te encantan las películas de acción.
No soportas las series nacionales.
Te gusta el fútbol.

Alumno A   **Alumno B**

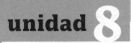

TVE-1	La 2	Antena 3	Cuatro	Tele 5
21:00 Telediario 2. **21:50** El tiempo. **21:55** La película de la semana: *Armageddon*, con Bruce Willis. Un asteroide se acerca a la tierra amenazando con destruirla.	**21:30** Reportaje: *La cocina en tiempos del Quijote*. **22:00** Documental: *Perú desconocido*. Maravilloso paseo por los más bellos rincones del país andino.	**21:00** Antena 3, Noticias. **21:45** Serie: *Aquí no hay quien viva* (capítulo 14 de la nueva temporada). Un capítulo más de esta comedia de éxito que lleva tres años en antena.	**20:57** Noticias Cuatro. **21:25** Ciclo de cine español: *Mar adentro*. Alejandro Amenábar trata como nadie el delicado tema de la eutanasia en esta excelente película.	**20:55** Informativos Telecinco. **22:00** Va de fútbol. Repaso de la jornada futbolística, que incluye entrevistas, reportajes y las jugadas más interesantes.

7.2. En la programación anterior aparece el nombre de algunos programas de televisión, pero hay más. Con tu compañero, intentad escribir una definición de los que conocéis para explicárselo a la clase.

Telenovela - Concurso - Debate

7.3. Ahora que ya sabes cómo se llaman todos, ¿por qué no les cuentas a tus compañeros cuál es tu programa favorito?

– *Yo no me pierdo una serie americana de aventuras que se llama "Perdidos". La ponen los jueves a las 11 en la primera cadena. Me encanta.*
– *Yo no la he visto nunca, ¿está bien?*

8. La telebasura y otros temas

8.1. El profesor te va a hacer alguna pregunta sobre temas relacionados con los medios de comunicación. Debes dar una respuesta que dure al menos dos minutos. También puedes comentar lo que dicen tus compañeros.

Para todo ello puedes usar:

Yo creo, opino, pienso que... En mi opinión... Para mí... Lo que quiero decir es que... Es decir, o sea, en otras palabras... Generalmente, habitualmente... Por ejemplo... Eso que has dicho... ¿Qué quieres decir exactamente? ¿Puedes explicarte mejor?	Es verdad que..., pero... Aunque... Sin duda... Además... Probablemente... Excepto... Yo no quería decir eso. Me has entendido mal. (No) tienes razón. (No) estoy de acuerdo con...

Las cadenas públicas no son tan objetivas como las privadas.

La televisión no ofrece programas de calidad.

Los reality-show no tienen ningún interés.

Los periódicos acabarán desapareciendo.

Los medios de comunicación dan demasiada importancia a la vida privada de los famosos.

No deberían poner tanto fútbol en la televisión.

La radio no es tan eficaz como la televisión a la hora de transmitir información.

La televisión y la radio hacen mucha compañía.

9. Noticias curiosas

9.1. Aquí tienes desordenadas las imágenes de dos historias. Con tu compañero intenta encontrar el orden correcto. Luego contadlas como si se tratara de noticias periodísticas (no olvidéis el titular, ni hacer referencia a los cinco datos básicos de cada noticia). También podéis añadir algo de vuestra propia cosecha.

unidad 9

OBJETIVOS

- Hablar de preferencias.
- Reaccionar ante otras opiniones.
- Describir el aspecto físico, los gustos, las opiniones, etc., de los jóvenes, haciendo comparaciones con otros países.

CONTENIDOS LINGÜÍSTICOS

- Conectores para ordenar una exposición, para contrarrestar opiniones.
- *Creo que... / No creo que...*

CONTENIDOS CULTURALES

- Actividades de ocio y juventud. Diferencias y similitudes según el país.

1. Y este fin de semana, ¿qué? Calentando motores

1.1. 🔊))) **Llega el fin de semana y no queremos quedarnos en casa, pero ¿qué podemos hacer? ¿Qué te parecen las siguientes opciones?**

PISTA 13

A mí me apetecería ir a un espectáculo musical este fin de semana. Hace muchísimo tiempo que no voy.

Pues yo preferiría pasar el fin de semana fuera de la ciudad y el ruido.

En cambio, a mí me gustaría quedar con la pandilla e ir de copas por ese barrio que siempre está tan animado.

Yo, después de estar encerrado toda la semana en el despacho, voy a salir a correr un poco.

1.2. Y vosotros, ¿qué opináis sobre todas estas posibilidades de ocio?

2. A ponerse la sudadera

2.1. ¿Crees que los españoles hacen deporte? ¿Cuáles crees que son los deportes más practicados? ¿Crees que es una de las opciones escogidas para pasar el tiempo libre?

> – No creo que los españoles hagan demasiado deporte, sólo de vez en cuando, porque...
>
> – No, ¡qué va! Creo que hacen bastante deporte, porque...

2.2. Escucha la siguiente noticia, que habla de la relación que mantienen los españoles con el deporte, y completa el cuadro.

PISTA 14

Frecuencia	
Deportes escogidos	
Por qué los practican	
Infraestructuras deportivas	

2.3. ¿Coincide con la opinión que tenías formada en un principio? ¿Se pueden practicar fácilmente los deportes escogidos? Reacciona apoyando o rechazando las opiniones de tus compañeros.

2.4. Y en tu país, ¿qué pasa? Haz una pequeña exposición de tres minutos de la relación que mantenéis con el deporte en tu país. Puedes utilizar los conectores que aparecen en el siguiente cuadro para conseguir una exposición más completa.

> Para empezar... Primero... En primer lugar... Asimismo... Igualmente...
>
> Además... Por lo demás... Por un lado... Por otro... Es más... Así pues...
>
> En consecuencia... Por lo tanto... En fin... En resumidas cuentas...

3. ¡A todo ritmo!

3.1.  ¿Eres de las personas a las que no les gusta el ejercicio físico? Escucha el siguiente anuncio y completa el cuadro con la información que oigas.

Quizá hayamos encontrado una solución para conseguir los beneficios que aporta el ejercicio físico pero de una forma más "marchosa".

PISTA 15

Qué actividad puede "sustituir" el gimnasio.	
Qué beneficios puede aportar esta actividad.	
Sensaciones que experimentan las personas que la practican.	

3.2. ¿Te convence esta opción? ¿Por qué?

4. ¡Vete a otra parte con la música!

4.1. Una emisora española está haciendo un concurso musical. Para poder acceder al premio has de contestar correctamente a cada una de las preguntas. Si cooperas con tu compañero, podrás contestarlas todas.

A continuación aparecen las preguntas hechas por la emisora española. Quizá ya conozcas algunas de las respuestas; si es así, contéstalas directamente. Si no, no te preocupes: leyendo los textos que tienes a continuación podrás contestar a dos de tus preguntas. En la respuesta de las otras dos te ayudará tu compañero. Ayúdale si él también lo necesita.

¿Sabes qué es la "salsa"?	
¿Cuál es el baile más famoso de Argentina?	
¿Qué es el "top manta"?	
¿Qué significa que un disco es "pirata"?	

Alumno A

Texto 1

La expresión popular "top manta" se refiere a la actividad de mostrar CDs musicales y DVDs en la calle para venderlos a precios mucho más bajos de los de una tienda. Cuando un policía se acerca, dado que es una actividad ilegal, los vendedores recogen los discos depositados sobre una manta o sábana y salen huyendo. Los vendedores suelen ser inmigrantes explotados por mafias.

Texto 2

Lo que se conoce como música salsa parece seguir vagamente un número de criterios. La salsa se toca a tiempo común, lo que significa cuatro golpes en cada compás. La música se toca en frases de dos compases, formando consiguientemente una suma de ocho golpes. En el ritmo base, los ocho golpes se tocan en un tambor alto llamado conga. Sobre este ritmo base se van superponiendo capas de percusión. Otra pista para saber que estamos ante un tema de salsa es la velocidad de la música: cuanto más rápida sea, más posibilidad hay de que sea salsa. Uno de los progenitores de la salsa es el son cubano.

Alumno B

TEXTOS

Texto 1

Piratería es un término que se utiliza sobre todo para referirse a la copia de obras literarias, musicales, audiovisuales o de software sin el consentimiento del autor, es decir, sin respetar los famosos derechos de autor. Una expresión más correcta sería "copia ilegal" o "copia no autorizada", pero de forma coloquial solemos utilizar la expresión "copia pirata".

Texto 2

El tango, es un completo fenómeno cultural –baile, música, canción, poesía– que atrae a muchísima gente.
Aunque sobre el tango y sus figuras son muchas las cosas que se discuten y ponen en duda, es generalmente aceptado que el tango nace en Buenos Aires a finales del siglo XIX, aunque algunos prefieren decir, a modo conciliador, que nació a las orillas del Río de la Plata, con el fin de contentar a los uruguayos, que reclaman una copaternidad del fenómeno. Indudablemente, el tango ocupa un lugar de privilegio en la representatividad de lo argentino en el exterior. Si bien, básicamente, se lo reconoce como una danza y una música cantable, el tango, además, contiene un lenguaje particular –el lunfardo–, usos y costumbres determinados, y hasta una filosofía característica que identifica a la gente del tango.

5. ¡Ponme otra, Manolo!

5.1. En España está de moda entre los jóvenes el "botellón". ¿Sabes de qué se trata? Si lees el siguiente texto podrás disipar tus dudas

Botellón, botelleo o **botellona.** Costumbre establecida desde finales del siglo xx, sobre todo entre los jóvenes, de beber, principalmente alcohol, en lugares públicos. Se llama así porque, para abaratar el coste de la bebida, se consume el alcohol de botellas adquiridas en supermercados o tiendas, en vez de ir a pubs, discotecas u otros lugares donde las bebidas son más caras.

También existe la tendencia entre los abstemios a acudir a estos lugares por la concentración de gente y para consumir refrescos, zumos y otras bebidas no alcohólicas, en lo que ellos mismos han venido a denominar "botellón light" o "botellón sin".

Una variante existente en Sevilla son "las barriladas". Son botellonas a nivel "macro", convocadas por Internet, que se celebran siempre de día, en las que se bebe cerveza y vino tinto. Tienen siempre un motivo de celebración, que normalmente va asociado a una facultad universitaria (barrilada de Farmacia, barrilada de Derecho...).

En el País Vasco existe una tendencia que consiste en mezclar la bebida, generalmente calimocho en las botellas de los refrescos y de agua (generalmente son de 2 litros). En este caso, no se suelen utilizar vasos ni hielo; cada persona tiene su propia botella, con la mezcla hecha, de la que bebe directamente. A esta costumbre se la conoce como *hacer litros* o ir de *litros*.

Este podría ser el retrato robot de las personas que asisten a un botellón:
✓ Jóvenes entre 19 y 23 años, que cursan estudios universitarios.
✓ El 30% de los que van al botellón tienen entre 14 y 18 años.
✓ Sus padres tienen estudios medios (Bachillerato) en su mayoría.
✓ Son estudiantes que, en el 80% de los casos, viven en el domicilio de sus padres.
✓ Participan en el botellón una vez a la semana, siendo el sábado el día preferido.
✓ El 73% de los que participan consume combinados de alta graduación.
✓ El 40% consume, además de alcohol, otras drogas.
✓ Tipo de bebidas: el 82,5%, combinados alcohólicos; el 7%, bebidas sin alcohol; el 1,4%, cerveza; el 1,4% toma una bebida alcohólica sin combinarla con refrescos.

5.2. En tu país, ¿existe algún fenómeno parecido? ¿Qué relación mantienen los jóvenes con la bebida?

5.3. Intenta con tu compañero describir el retrato robot de un joven de tu país de 17 a 25 años.

¿Recuerdas qué debe aparecer en una descripción? No te olvides de hablar del aspecto físico, de la ropa, de los gustos e intereses...

6. ¡No seas tan teatrero!

Alumno A
6.1. Este fin de semana vas a ir al teatro con tu pandilla de amigos. Como todos ellos tienen algo que hacer, te han encargado que llames por teléfono para reservar las entradas. Otro compañero atenderá tu llamada en la central de reservas del teatro.

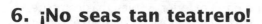

Alumno B

6.1. Trabajas en la central de reservas de un teatro y debes atender las llamadas que recibes. Informa al compañero que llama y resérvale las entradas que pide.

Aquí tenéis un modelo para el posible diálogo.

PISTA 16

> A. A ver... el teléfono es... 914531325.
> B. Buenas tardes. Dígame
>
> A. Buenas tardes. Querría reservar cinco entradas para la obra Canto general.
> B. Muy bien. ¿Para qué día y sesión?
>
> A. Para el jueves a las 9 de la tarde.
> B. Lo siento, pero este jueves por cuestiones técnicas no va a haber función.
>
> A. ¿Y el viernes?
> B. Sí, todavía nos quedan algunas entradas disponibles. ¿A qué nombre las reservo?
>
> A. Al de María González. ¿Cuánto cuesta cada entrada?
> B. ¿Son ustedes estudiantes?
>
> A. Algunos de nosotros, sí.
> B. La entrada normal cuesta 20 euros y la estudiantil, 15 euros.
>
> A. ¿Cuándo tenemos que recoger las entradas?
> B. Pueden recogerlas media hora antes de que empiece la sesión.
>
> A. Muchas gracias.
> B. A ustedes.

ALUMNO A

1. *La entretenida,* de Miguel de Cervantes. 22:00 horas. Compañía Nacional de Teatro Clásico. Dirección de Helena Pimenta.
2. *El enfermo imaginario*, de Molière. 21:00 horas. Compañía Morboria. Dirección de Eva del Palacio.
3. *La razón blindada*, de Arístides Vargas. 19:00 horas. Compañía Malayerba. Dirección de Arístides Vargas.
4. *El príncipe constante*, de Calderón de la Barca. 22:00 horas. Compañía Lenz Rifrazioni, de Parma (Italia), con la dirección de Federica Maestri y Francesco Pititto.
5. *La viuda valenciana*, de Lope de Vega. 22:00 horas. Compañía Teatro Balagán y dirección de José Antonio Raynaud.
6. *El huésped del sevillano*, con música del maestro Guerrero y textos de Miguel de Cervantes. 21:00 horas. Compañía Amigos de la Zarzuela de Torrejón de Ardoz.
7. *Entremeses: El viejo celoso* y *La cueva de Salamanca*, de Miguel de Cervantes. 21:00 horas. Compañía Teatro para un Instante. Dirección de Francisco Serrano.

ALUMNO B

1. *La entretenida,* de Miguel de Cervantes. De viernes a domingo, a las 22:00 horas. Compañía Nacional de Teatro Clásico. Dirección de Helena Pimenta. Entrada, 30 euros. Teléfono de reservas: 915433798. Descuento a estudiantes.
2. *El enfermo imaginario*, de Molière. Estreno el sábado a las 21:00 horas. Compañía Morboria. Dirección de Eva del Palacio. Entrada, 35 euros. Teléfono de reservas: 915433778.
3. *La razón blindada*, de Arístides Vargas. 19:00 h. Toda la semana, excepto domingo y lunes. Compañía Malayerba y dirección de Arístides Vargas. Entrada, 25 euros. Teléfono de reservas: 915455798.
4. *El príncipe constante*, de Calderón de la Barca. Sábado a las 22:00 horas. Compañía Lenz Rifrazioni, de Parma (Italia), con la dirección de Federica Maestri y Francesco Pititto. Entrada, 30 euros. Teléfono de reservas: 915693723. Descuento a estudiantes y a grupos de más de cinco personas.
5. *La viuda valenciana*, de Lope de Vega. Viernes y sábado a las 22:00 horas. Compañía Teatro Balagán y dirección de José Antonio Raynaud. Entrada, 20 euros. Teléfono de reservas: 915429854. *Representación ANULADA por enfermedad.*
6. *El huésped del sevillano,* con música del maestro Guerrero y textos de Miguel de Cervantes. Todos los domingos, dos sesiones, a las 19:00 y a las 21:00 horas. Compañía Amigos de la Zarzuela de Torrejón de Ardoz . Entrada, 30 euros. Teléfono de reservas: 918923496.
7. *Entremeses: El viejo celoso y La cueva de Salamanca*, de Miguel de Cervantes. **Última sesión** este viernes a las 21:00 horas. Compañía Teatro para un Instante y dirección de Francisco Serrano. Entrada, 25 euros. Teléfono de reservas: 915445747. Descuento especial a grupos.

¿VAMOS A PICAR ALGO?

unidad 10

OBJETIVOS

- Describir comidas.
- Enumerar acciones.
- Hacer propuestas y reaccionar ante ellas.
- Interactuar en un restaurante: hacer una reserva telefónica, pedir, reclamar, etc.

CONTENIDOS LINGÜÍSTICOS

- Léxico básico de las comidas y la cocina.
- Primero, después, luego, al final...
- ¿Qué te parece...? ¿Por qué no...? ¿Te apetece...?
- Exponentes que expresan aceptación y rechazo.
- Expresiones de frecuencia.

CONTENIDOS CULTURALES

- Las comidas en el mundo hispano.

1. Platos típicos

1.1. ¿Conoces estos platos? ¿Qué llevan? ¿De dónde son típicos? Si no lo sabes, tu compañero y tú podéis intentar relacionarlos con las informaciones que aparecen más abajo.

> guacamole – paella – ceviche – fabada
>
> empanadillas – gazpacho – ropa vieja – cocido

1. Sus ingredientes principales son el arroz, el marisco y la carne. Es un plato típico español, en concreto de Valencia.
2. Es pescado que no se cocina al fuego, sino que se macera con limón. Es peruano.
3. Lleva judías blancas y carnes diversas (chorizo, morcilla). Es un plato español.
4. Se comen mucho en Chile y suelen estar rellenas de carne.
5. Es una salsa mexicana que se hace con aguacate.
6. El más conocido es el madrileño, que lleva garbanzos, verduras y carnes.
7. Es un plato típico de Cuba, aunque también se hace en las Islas Canarias. Lleva carne guisada con verduras
8. Es una sopa fría de verduras que se come mucho en Andalucía durante los meses de verano.

1.2. ¿Podrías explicar un plato típico de tu país? No digas el nombre. A ver si alguien de la clase sabe cómo se llama.

Ejemplo:
– *Es una masa parecida al pan, sobre la que se coloca tomate, queso y... todo lo que quieras: jamón, pimiento, cebolla, gambas...*
– *¡La pizza!*

2. Recetas. ¡A cocinar!

2.1. Vamos a ver ahora cómo se hacen algunos de estos platos. Pero tendrás que completar la receta con la ayuda de tu compañero, que tiene los pasos que te faltan.

Alumno A

GUACAMOLE

2 aguacates medianos

1 tomate

1/2 cebolla

zumo de medio limón

sal, tabasco

una cucharada sopera de aceite de oliva virgen

1. En primer lugar, se pela el aguacate. Una vez pelado, lo cortamos y le quitamos el hueso. A continuación, lo echamos en el vaso de la batidora.

2. ....

3. Añadimos sal al gusto y el aceite. Se añade el zumo de medio limón, que además de darle un sabor estupendo, nos permitirá conservar en la nevera la salsa sobrante sin que se eche a perder.

4. Por último, lo batimos todo hasta que adquiera la consistencia deseada. El guacamole ya está listo.

Esta salsa es ideal para ....
..

GAZPACHO

1 cebolla

2 pepinos

4-5 tomates

2 pimientos verdes

1/2 barra de pan duro

1 zanahoria

sal y aceite

1 limón

1. Primero, pelar y cortar la cebolla y ponerla en remojo con agua 5 minutos antes de hacer el gazpacho, para que no pique, al igual que el pan, para que se vaya mojando y ablandando.

2. Luego .... en trozos no muy grandes.

3. Vamos echando los ingredientes poco a poco en la batidora y los batimos por tandas, procurando mezclarlos bien.

4. Al final, cuando tengamos todo batido, ...
....

5. Lo metemos en la nevera unos 30 minutos, para que esté fresquito.

6. Lo podemos acompañar con un poquito de picadillo de cebolla, pimiento, pepino y tomate, que echaremos por encima.

unidad **10**

Alumno B

GUACAMOLE

2 aguacates medianos.

1 tomate.

1/2 cebolla.

zumo de medio limón.

sal, tabasco.

una cucharada sopera de aceite de oliva virgen.

1. En primer lugar, se pela el aguacate. Una vez pelado, lo cortamos y le quitamos el hueso............................
....

2. Luego pelamos el tomate y picamos la cebolla, añadiéndolo todo al vaso de la batidora.

3. ....
...................., que además de darle un sabor estupendo, nos permitirá conservar en la nevera la salsa sobrante sin que se eche a perder.

4. Por último, lo batimos todo hasta que adquiera la consistencia deseada. El guacamole ya está listo.

*Esta salsa es ideal para acompañar
las quesadillas o los nachos.*

GAZPACHO

1 cebolla.

2 pepinos.

4-5 tomates.

2 pimientos verdes.

1/2 barra de pan duro.

1 zanahoria.

sal y aceite.

1 limón.

1. Primero, ...
y ponerla en remojo con agua 5 minutos antes de hacer el gazpacho, para que no pique, al igual que el pan, para que se vaya mojando y ablandando.

2. Luego lavamos y pelamos todos los ingredientes y los partimos en trozos no muy grandes.

3. Vamos echando los ingredientes poco a poco en la batidora y los batimos por tandas, procurando mezclarlos bien.

4. Al final, cuando tengamos todo batido, le añadimos la sal, el zumo del limón y, por último, el aceite.

5. ...., para que esté fresquito.

6. Lo podemos acompañar con un poquito de picadillo de cebolla, pimiento, pepino y tomate, que echaremos por encima.

2.2. ¿Te has fijado en que se utilizan algunas expresiones para señalar el orden de los pasos? ¿Cuáles son?

_____

_____

2.3. ¿Y el ceviche? ¿Puedes reconstruir la receta con tu compañero? Fíjate en las recetas de 2.1 y utilízalas como modelo.

Aquí tenéis los ingredientes y algunos verbos que os serán útiles. No olvidéis ordenar los pasos con las expresiones apropiadas:

picar – cortar – exprimir – servir – añadir

CEVICHE PERUANO FÁCIL

Ingredientes:

1 filete grueso de pescado fresco (corvina o bacalao).

5 limones o limas verdes.

1 cebolla roja mediana.

1 chile jalapeño.

Trozos de batata y choclo hervidos (para acompañar).

Sal y pimienta blanca.

2.4. Ahora ya sois capaces de contar a la clase cómo se hace algún plato típico de vuestro país o de la región donde vivís. ¿Quién se anima?

Ejemplo: *En mi ciudad hay un dulce típico que se hace con...*

3. ¿Comemos fuera?

3.1. En una revista has encontrado estos restaurantes. ¿A cuál te apetece ir? Ponte de acuerdo con dos de tus compañeros.

Ejemplo:
A. *¿Os apetece ir a un restaurante vegetariano? Tengo ganas de probarlo...*
B. *Vale, vamos. ¿Cómo quedamos?*
C. *Bueno, yo preferiría ir al cubano. Es que no me gustan mucho los vegetarianos...*

ARTEMISA. Para los aficionados a la cocina verde. Ensaladas, platos de verdura, pasta y postres caseros. Entre 15 y 20 euros. Cierra los domingos por la noche. C/ Ventura de la Vega, 4. Tfno. 914 39 07 52.

A BRASILEIRA. Local diminuto y sencillo, bien decorado y un servicio de mesa precioso. Buena cocina popular: feijoada y vatapa bahiano. Entre 15 y 20 euros. Cierra en agosto. C/ Pelayo, 49. Tfno. 913 08 99 48.

LA DAMA DUENDE. Pequeño local decorado con gusto, con un menú económico, sustancioso y bien resuelto. A la carta, el precio se cuadruplica. Interesante carta de tes y cafés. Cierra el domingo y el lunes. C/ La Palma, 63. Tfno. 913 47 98 25.

MARA. Casa de comidas de aspecto sencillo, con una clásica cocina española y algunas especialidades cubanas: yuca, ropa vieja, frijoles con arroz, etc. Alrededor de 20 euros. Menú por 15 €. Cierra los sábados, domingos y festivos. C/ Infantas, 5. Tfno. 915 32 00 84.

EL NUEVE. Clásica casa de comidas de barrio donde se puede tomar un estupendo cocido o una fabada por menos de 8 euros. El menú cuesta 10 ?. Cierra los martes. C/ Santa Teresa, 9. Tfno. 913 19 67 20.

LA TABERNA DEL ALABARDERO. Cocina tradicional vasca con cierto aire de renovación. Alrededor de 35 euros. No cierra ningún día. C/ Felipe V, 6. Tfno. 915 66 70 02.

TAQUERÍA DE BIRRA. Cocina popular mexicana muy sabrosa: tacos, nachos, guacamole y salsas picantes. Muy agradable la terraza con buen tiempo. Alrededor de 15 euros. No cierra ningún día. Abierto a partir de las 19.00 h. Plaza de las Comendadoras, 2. Tfno. 915 23 38 64.

3.2. ¿Puedes hacer la reserva por teléfono? El profesor será el empleado del restaurante.

–Buenos días. Quería reservar una mesa...

3.3. Ahora imaginemos que estáis en el restaurante que habéis elegido. Con tu compañero, pensad qué diálogos se producirían en estas situaciones:

4. El aperitivo

4.1. Antes de comer, en España a veces se toma el aperitivo. ¿Conoces esta costumbre? Si no es así, puedes leer el texto que aparece a continuación.

El domingo es un día diferente. Durante los días de diario, el trabajo suele ocupar la mayor parte de nuestro tiempo, pero los domingos por la mañana salimos a dar un paseo y a tomar algo a la hora del aperitivo con la familia o los amigos.

El 60% de los españoles dedica parte de la mañana de este día a dar un paseo, mientras que casi la mitad dice emplear su tiempo en tomar el aperitivo fuera de casa, preferentemente cerveza con algunos pinchos, tapas o raciones.

Tomar el aperitivo es una costumbre muy antigua en España. El origen de la palabra "tapa" son las lonchas de jamón con las que cubrían los vasos y copas de cerveza y vino en las tabernas para que no cayera nada en las bebidas.

La mayoría prefiere beber cerveza, bebida mediterránea y refrescante, ideal si se acompaña de una ración, pincho o tapa, aunque también hay gente que prefiere tomar un refresco o vino.

4.2. ¿Se hace lo mismo en tu país? Si hay otra costumbre típica relacionada con la comida, cuéntasela al resto de la clase.

4.3. Aquí tienes los tickets de las consumiciones de algunos clientes. Habla con tus compañeros y reconstruid los diálogos entre el camarero y los clientes.

–Hola, ¿qué les pongo?
–Pues cuatro cañas y...

5. El doctor Dieta

5.1. **Fíjate en los hábitos alimentarios de estas personas.**

5.2. **De acuerdo con los consejos que nos da el doctor Dieta en el texto que aparece a continuación, ¿qué cambios deberían introducir en su vida?**

REGLAS DE ORO PARA UNA ALIMENTACIÓN EQUILIBRADA

✓ Es necesario comer una gran variedad de alimentos, pero no en gran cantidad.

✓ Debe evitarse el exceso de grasas de origen animal. Es aconsejable, en cambio, tomar aceite, aunque siempre con moderación.

✓ Hay que comer suficientes alimentos que contengan harinas o féculas (pan, pasta, etc.) y fibra (ensaladas, frutas, hortalizas o legumbres).

✓ Limitar el consumo de azúcares, ya que la leche y las frutas ya los contienen.

✓ Cocinar bien es un arte, por lo que se pueden hacer platos sabrosos respetando las normas dietéticas.

✓ Es recomendable comer despacio y masticar bien.

✓ El agua es la mejor bebida para saciar la sed.

✓ Si se bebe alcohol, se debe hacer con mucha moderación.

✓ A pesar de todos los consejos anteriores, no hay que olvidar que comer y beber forman parte de la alegría de vivir.

5.3. **Ahora vamos a diseñar una encuesta para saber si los hábitos alimentarios de un compañero son los apropiados. Decide con otro compañero qué vais a preguntar.**

Ejemplo:
– Una pregunta puede ser cuántas veces a la semana toma carne.
– Sí, y también hay que preguntar si toma alcohol a menudo.

5.4. **Hacedle la encuesta a otro compañero o al profesor. ¿Debería cambiar alguno de sus hábitos? Aconsejadle.**

Pero antes, recordemos todos juntos algunas expresiones que se utilizan en español para hablar de la frecuencia. Ordenadlas de mayor a menor:

todos los días _____ _____ _____ _____ nunca

Vamos a continuar trabajando con imágenes y fotografías, como en la tarea de evaluación 1.

1. Es posible que en ciertas ocasiones debas simular un diálogo como el que se daría en la vida real entre los protagonistas de una historia. Antes de seguir, pensemos entre todos qué expresiones conocéis para hacer estas cosas:

Llamar la atención de una persona para comenzar una conversación.	
Pedir información.	
Pedir disculpas.	
Protestar.	
Sugerir a alguien una actividad.	
Concertar una cita.	
Comenzar un relato.	
Demostrar que uno tiene razón.	

- 🔊 **Para completar el cuadro con más expresiones, escuchad los diálogos grabados en el CD.**
- **Además, ¿podéis clasificar los siguientes exponentes en la casilla correspondiente?**

PISTA 17

De eso, nada.	Mil perdones.
¿Sabes / Sabe usted...?	¡Ya está bien!
Resulta que...	No sé, pero yo creo que...
¡Cuánto lo siento!	¿Podría(s) decirme...?
Ya, pero...	¡No hay derecho!
Perdón.	Es increíble/inaceptable... (que + subjuntivo).
¿Quedamos a las... en...?	Es que...
¿Por qué no...?	Seguro que sí.

2. Vamos a practicar con ellas. ¿Puedes pensar con tu compañero qué diálogos se producirían en estas situaciones?

1. En una frutería hay una cola con varias personas. Se ve a la segunda intentando pedir y las otras protestan.
2. Alguien llega tarde a una cita y se disculpa.

3. Alguien se ha perdido y pregunta por una calle.

4. En un restaurante, en la zona de no fumadores, alguien le pide al de la mesa de al lado que deje de fumar.

5. Alguien protesta indignado porque el autobús no pasa desde hace media hora.

6. Alguien cuenta a otra persona cómo pasó el día.

3. Historias
Escucha la narración que va a hacer tu compañero de la siguiente historieta. ¿Qué diálogo se produciría en la última viñeta de cada historia? A continuación, cambiad de papel.

ALUMNO A

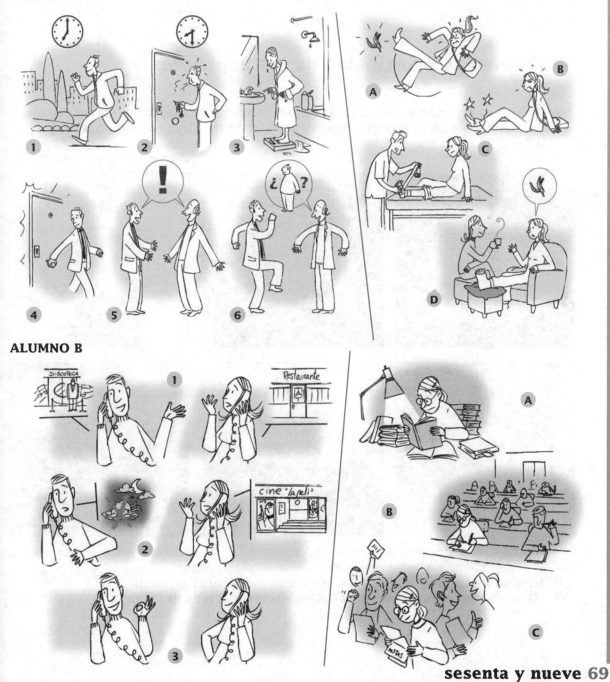

ALUMNO B

LA SOCIEDAD ACTUAL

unidad

11

OBJETIVOS

- Expresar la opinión.
- Participar en un debate.
- Ordenar informaciones por orden de importancia.
- Aconsejar.

CONTENIDOS LINGÜÍSTICOS

- *Lo más serio, lo más importante, lo más grave...*
- Recursos para debatir.
- Conectores textuales.

CONTENIDOS CULTURALES

- Problemas y preocupaciones de los españoles.

1. Problemas principales de los españoles

1.1. 🔊 **Unos españoles hablan de los problemas que hay actualmente en España. Escúchalos y señala con qué imagen se relacionan. ¡Ojo!, sobran imágenes.**

PISTA 18

1.2. Mira ahora las imágenes de las que no se habla en la grabación. ¿Qué les pasa a estas personas? ¿Qué problema crees que tienen?

1.3. Mira esta encuesta e intenta asociar las imágenes anteriores con los problemas que se mencionan en ella.

¿Cuáles son, a su juicio, los tres problemas principales que existen actualmente en España?	
El paro	57,9
El terrorismo	36,1
La inmigración	29,5
La vivienda	27,0
Los problemas de índole económica	16,4
La inseguridad ciudadana	15,1
Los problemas relacionados con la calidad del empleo	7,5
La clase política, los partidos políticos	7,2
La sanidad	5,9
Los problemas de índole social	4,2

Fuente: CIS (encuesta del 27 de abril-4 de mayo de 2005)

1.4. Y en tu país, ¿la gente tiene las mismas preocupaciones? Coméntalo con tus compañeros.

2. Las preocupaciones de la clase

2.1. En grupos de cuatro, vais a decidir los seis problemas que más os preocupan.

Ejemplo:
– *A mí me preocupa mucho el paro; el año que viene termino los estudios y no sé qué voy a hacer.*
– *Sí, a mí también.*

2.2. Ahora ponedlo en común con los otros grupos. Podéis usar las expresiones siguientes:

> Nosotros creemos que... / Para nosotros... / Desde nuestro punto de vista...
>
> En nuestra opinión... / Los problemas más serios son... / Lo más grave es...
>
> Lo más preocupante es... / Por orden de importancia...

2.3. Para terminar podéis escribir en la pizarra los resultados (no los olvidéis, porque volveremos a ellos más adelante).

3. Consejos

3.1. 👥 **En parejas, relacionad los consejos con los temas correspondientes.**

Alumno A. Lee estos consejos a tu compañero.

1. Mantenga una dieta adecuada, haga ejercicio, duerma lo suficiente.
2. No use productos de usar y tirar.
3. No utilice la bocina del coche sin motivo.
4. Olvídese de la tarjeta de crédito, pague siempre al contado.
5. Compre productos poco o nada envasados.
6. Piense de forma positiva, procure tener algo de tiempo libre.
7. Lleve siempre una lista de lo que va a comprar.
8. Baje el volumen del televisor o la radio, no vive usted solo.

Alumno B. Di a qué tema corresponde cada consejo.

Tema	Consejo número
Controle el estrés.	
Reduzca las basuras.	
Guarde silencio.	
Controle lo que consume.	

3.2. ¿Podéis entre los dos añadir un consejo más a cada tema? Decídselo a vuestros compañeros.

4. A jugar

4.1. Fíjate en los consejos de la tabla anterior: todos aparecen en imperativo, una forma verbal que se usa mucho en español con esta finalidad.

4.2. En grupos de tres, intentad formar el imperativo afirmativo y negativo de las tres conjugaciones antes que el resto de los compañeros.

5. No sé que hacer

5.1. 👥 **Cada uno de vosotros tiene algunos problemas. Pedidle consejo al compañero y reaccionad ante lo que os dice. Recordad que una de las funciones del imperativo en español es dar consejos.**

Alumno A
1. He engordado mucho últimamente.
2. Me siento muy cansado.
3. Tengo insomnio.
4. Gasto mucho dinero.
5. Mi pareja y yo queremos casarnos pero no tenemos dinero para comprar un piso.

Alumno B
6. Quiero hacer un máster, pero no sé cómo elegir el mejor.
7. Mis vecinos son insoportables, hacen mucho ruido.
8. Me ha llegado una factura del teléfono móvil muy alta.
9. Quiero hablar mejor en español.
10. Últimamente estoy muy estresado.

5.2. ¿Y tus problemas? ¿Por qué no les cuentas a tus compañeros qué problemas tienes? Tal vez te puedan ayudar.

6. Cada oveja con su pareja

6.1. A continuación tenéis una serie de palabras y expresiones. Ponedlas en las columnas adecuadas (algunas pueden ir en varias).

> desechos - discriminación - basura - zonas peatonales - integración
> respeto - deforestación - discapacitados - polución - violencia de género
> reciclar - concienciar - desarrollo sostenible - carril bicicleta - voluntarios
> reutilizar - sequía - abuso - espacios verdes - reparto de tareas - tráfico
> cambio de roles - precariedad laboral - compartir responsabilidades
> grupos discriminados - carril bus - tercera edad - delincuencia

Medio ambiente	Desigualdad de sexos	Problemas sociales	Ciudad

6.2. ¿Se te ocurren más palabras para cada columna? Escríbelas y luego compara con tus compañeros. Seguro que, entre todos, habéis encontrado muchísimas.

7. El trabajo

7.1. ¿Cuáles son los factores más importantes a la hora de elegir un trabajo? Discútelo con tus compañeros.

> salario - horarios - tener vocación - relación con los compañeros
>
> interés del trabajo - satisfacción personal - posibilidad de ascender
>
> otros

7.2. ¿Trabajas o has trabajado alguna vez? Comenta tu experiencia con tus compañeros. Puedes hacerlo refiriéndote a las cuestiones de las que habéis hablado antes.

Ejemplo:
– *Yo soy profesora. Desde pequeña quería serlo.*
– *Pues yo el año pasado estuve de camarera en una cafetería, pero ahora estoy en paro.*

8. Las profesiones con más futuro

8.1. Leed el texto siguiente.

Las profesiones con más futuro para los próximos años, según el INEM, son las relacionadas con la **artesanía,** la **automoción,** los **servicios turísticos,** los **servicios a la comunidad** y los **servicios persona-** **les.** Las empresas industriales demandan personal con mayor nivel de cualificación y alto grado de polivalencia, así como mandos intermedios con formación y experiencia en técnicas de gestión y dirección.

8.2. En negrita aparecen los gremios con más futuro. ¿Puedes relacionar estas profesiones con cada uno de ellos?

carpintero	peluquero/a	asistente social	mecánico
psicólogo	animador	policía	joyero
zapatero	decorador	cocinero	empleado/a de hogar
esteticista	limpieza	bombero	guardia de tráfico
			técnico medioambiental

8.3. 👥 A continuación vamos a hablar de otras profesiones que también tendrán mucho éxito en los próximos años. Tu compañero te hablará de ellas. ¿Puedes encontrar de cuál se trata?

Alumno A

Técnico medioambiental	
Ingeniero de robots	
Cirujano de trasplantes	
Psicólogo	
	Una sola persona con un ordenador puede atender a miles de clientes desde Internet. Abierto las 24 horas.
	Estará especializado en lenguaje científico, arte, comunicaciones...
	Dentro de unos años en España se necesitarán 750.000 más, entre programadores, ingenieros e investigadores.
	No quedará ningún rincón en el planeta sin ser visitado. Le facilitará sus vacaciones incluso en el espacio.

Alumno B

Informático	
Tendero virtual	
Experto en turismo	
Traductor	
	La creciente preocupación por la conservación del entorno natural disparará la demanda de estos expertos.
	La mayor parte de los órganos que componen el cuerpo humano se podrán remplazar por otros sintéticos o naturales.
	Descubrirá e informará a su empresa del puesto de trabajo que más le conviene a cada trabajador.
	Serán tan numerosos que se necesitarán miles de expertos para diseñarlos, construirlos y repararlos.

8.4. Añadid estas nuevas profesiones a la lista de los gremios.

9. Las profesiones más valoradas

9.1. Leed este texto, donde aparecen algunas opiniones de los españoles. ¿Es igual en vuestros países?

Las profesiones científicas son las mejor valoradas por los españoles

En primer lugar, los científicos, y en último, los periodistas y los políticos. Esta es la opinión que tienen los españoles de las profesiones, según datos de una encuesta recientemente publicada. Los encuestados, aunque en su mayoría dicen que el trabajo de los investigadores exige más sacrificios que otras profesiones, aseguran que se lo recomendarían tanto a sus hijos como a sus hijas.

Además, según la valoración que se concede a diversas profesiones, los científicos se situaron en primer lugar, con una nota de 8,6 sobre 10. Siguen los médicos, los profesores, los ingenieros, los artistas y los empresarios. Las profesiones menos valoradas son la de periodista, la de abogado y, en último lugar, la de político.

Según la opinión de los entrevistados, la profesión de científico da muchas satisfacciones personales, pero requiere de más sacrificios. Sin embargo, pocos consideran que esté bien remunerada.

9.2. ¿Y en la clase? ¿Cuáles son las profesiones más apreciadas? Votad y escribid los resultados en la pizarra.

10. Profesiones que podrían desaparecer

10.1. En grupos de tres, haced una lista con varias profesiones que dentro de unos años no serán necesarias. Explicad a la clase por qué.

10.2. 🔊 **Escuchad lo que dicen en un programa de radio. ¿Hay coincidencias con vuestras hipótesis?**

PISTA 19

11. En tres minutos

11.1. 👥 **En parejas: elegid uno de los temas que habéis escrito en la actividad 2. Debéis preparar una pequeña exposición del problema, sus causas, sus consecuencias, a quién afecta... ¡Ojo! Vuestra exposición no puede durar más de tres minutos.**

11.2. Recuerda los conectores que sirven para organizar un texto:

En primer lugar	En cuanto a	Excepto
Primero	Respecto a	Una excepción es
Para empezar		
En segundo lugar	Es decir	Por ejemplo
Por una parte	O sea	
Por otra parte	En otras palabras	
Finalmente	Generalmente	
Para terminar	En general	
Por último		

PERSONAS DIFERENTES, CULTURAS DIFERENTES

unidad 12

1. Cambio de residencia

Casi todos conocemos a alguien que ha cambiado su lugar de residencia, que ha decidido instalarse en otro país, o que ha vivido fuera durante un tiempo.

1.1. ◀))) **Vamos a escuchar a unas personas que nos cuentan sus experiencias. Completa el cuadro con las causas por las que dejaron su país y con los problemas que encontraron.**

PISTA 20

	Razones	Problemas
Ramón		
Pilar		
Stefan		
Lidia		
Alba		

2. Estudiando en otro país

2.1. Lee el texto sobre las becas Erasmus. Fíjate en las palabras y expresiones subrayadas.

LAS BECAS ERASMUS

Desde hace casi 20 años, gracias a las becas Erasmus, miles de estudiantes han podido hacer realidad su sueño de combinar los estudios con una estancia en un país extranjero, de aprender y divertirse al mismo tiempo, de vivir aventuras y experiencias inolvidables. En Europa hay cada vez más variedad cultural; en consecuencia, favorecer el multiculturalismo fue uno de los objetivos de este programa creado por la Comisión Europea en 1987.

Los jóvenes que han decidido aprovechar esta oportunidad lo han hecho por motivos muy diferentes. Unos, porque querían viajar; otros, para aprender otro idioma; algunos, porque deseaban conocer otra manera de vivir, y todos ellos han vuelto a casa con mucho más de lo que esperaban.

Sonia dice: "Yo esperaba mejorar mi francés, por eso me fui. Pero no esperaba aprender tanto, conocer a tanta gente ni hacer tan buenos amigos. Ha sido una experiencia maravillosa, así que se la recomiendo a todos".

No todo es de color de rosa, sin embargo. Puesto que se pretende favorecer al mayor número posible de candidatos, la cuantía de la beca es bastante baja. A causa de ello, muchos jóvenes no pueden participar en el programa y otros, como Javier, hacen grandes sacrificios: "Como mi familia no podía ayudarme, durante tres años combiné los estudios con un trabajo para ahorrar. Así pude ir de Erasmus: de otra forma... imposible".

El número de universitarios interesados aumenta cada año; por tanto, a la hora de elegir se tienen en cuenta varios criterios, como el expediente académico o el conocimiento de la lengua del país de destino; sin embargo, la universidad es el lugar adecuado para obtener una información más completa y detallada.

2.2. Las expresiones y palabras subrayadas son conectores de causa y consecuencia. ¿Puedes clasificarlos?

Causa	Consecuencia

2.3. A continuación tienes algunas frases dichas por personas que han emigrado. Con tu compañero, intenta relacionar las dos frases de cada grupo que tratan del mismo tema.

1. Estás solo.	A. La cuantía de las pensiones les permite vivir mejor que en su país.
2. Los problemas económicos.	B. En muchos pueblos la mayoría de los habitantes son extranjeros.
3. El clima es muy agradable.	C. Muchos jubilados del norte de Europa eligen vivir en España.
4. No hablaba bien la lengua del país.	D. Irse a otro país es la única solución.
5. España es un país más barato.	E. Tuve muchos problemas al principio.
6. El aumento de la llegada de residentes extranjeros.	F. Lo pasas muy mal.
7. La falta de oportunidades de trabajo.	G. Mucha gente ha tenido que dejar su país.
8. La situación política.	H. Su vida está en peligro.

2.4. Preparad una pequeña exposición oral sobre los posibles motivos para vivir en un país extranjero, usando algunos de los conectores vistos antes. Por supuesto, podéis añadir otras ideas de vuestra propia cosecha.

2.5. Y tú, ¿has vivido alguna vez en un país diferente del tuyo? ¿Por qué fuiste allí? ¿A qué problemas tuviste que enfrentarte? Coméntalo con tus compañeros.

Ejemplo:
– *Yo pasé un mes en Berlín, fui a hacer un curso de alemán.*
– *Yo estuve en Milán con el programa Erasmus. No tuve muchos problemas y lo pasé genial.*

3. ¿Cómo los vemos? ¿Cómo nos ven?

3.1. A menudo nuestro conocimiento de otros países es sólo una serie de imágenes e ideas muy generales y tópicas. Vamos a hacer un pequeño ejercicio para comprobar si es verdad o no.

1. Escribe cinco palabras que asocias con España.

_____

2. Escribe cinco palabras que asocias con Latinoamérica.

_____

3. Ahora vemos a poner en común las palabras que hemos escrito toda la clase.
¿Creéis que representan la verdadera imagen de España y de Latinoamérica?

3.2. Dibuja un mapa de tu país o de tu región. Puedes trabajar con los compañeros que sean de tu mismo lugar de origen.

A continuación pasad el mapa a los otros (o podéis colgarlos en la clase). Cada uno debe escribir en los mapas de los compañeros las palabras que asocia con ese lugar.

Después, habla con ellos sobre las palabras que han escrito. ¿Es representativo de tu país? ¿Por qué es conocido para los extranjeros? Ellos pueden contarte por qué lo han escrito. ¿Y por qué no les hablas de algo que seguramente nadie sabe de tu país?

Ejemplo:

– *En mi mapa han escrito "los toros", que es una fiesta muy famosa de España. Creo que la gente la conoce porque es muy espectacular, pero casi nadie sabe que en España hay muchas personas a las que no les gusta nada y están en contra.*

Puedes usar:

> La mayoría cree que...
> (Casi) todo el mundo dice que...
> (Casi) toda la gente piensa que...
> Poca gente sabe que...
> (Casi) nadie imagina que...

4. ¡Qué vergüenza!

Seguro que con el ejercicio anterior hemos aprendido muchas cosas nuevas sobre otros lugares. Conocer un país extranjero, y por tanto una cultura extranjera, es algo muy complicado, y muchas veces no es suficiente con hablar la lengua: también debemos aprender costumbres y formas de comportarse muy distintas a las nuestras.

Por eso muchas veces hacemos cosas que los otros no comprenden, que nos ponen en ridículo o nos crean problemas.

4.1. ¿Te ha pasado a ti alguna vez? Cuéntaselo a los compañeros.

Ejemplo: *Pues yo en Grecia, al principio, tenía problemas para entenderme, porque ellos, para decir "no", suben la cabeza. Total, que cuando ellos me decían "no", yo pensaba que no decía algo bien y lo repetía y lo repetía hasta que me gritaban: "NOOO". Era horrible.*

5. Ofrecimientos

5.1. 🔊 **Escucha y lee los siguientes diálogos. A continuación deberás responder a unas preguntas y completar un cuadro.**

PISTA 21

Diálogo 1: Marisol y Aurora salen del trabajo; el marido de Aurora ha ido a buscarla en coche.

A. ¿Vas a casa? Te llevamos.
M. No, no hace falta, gracias.
A. Anda, mujer.
M. No, de verdad, que en metro es un momento.
A. Pero si vamos en tu dirección...
M. Ah, bueno, entonces...

Diálogo 2: Doña Margarita ha decidido pintar el salón de su casa. Cuando el pintor llega y comienza a trabajar, Doña Margarita le ofrece algo.

M. ¿Quiere usted tomar algo?
P. No, señora, muchas gracias.
M. Hombre, un cafecito...
P. No, señora, no se moleste.
M. Si no es molestia, hombre, no me cuesta nada.
P. Bueno, pues si insiste, de acuerdo.

Diálogo 3: Carmen da clases particulares de inglés. Hoy empieza con un alumno nuevo y cuando llega a casa, tiene el siguiente diálogo con la madre del niño:

M. Hola, Carmen, pasa, las clases las daréis aquí.
C. Muy bien, perfecto.
M. ¿Te apetece tomar algo?
C. Nada, muchas gracias.
M. Que sí, mujer, un zumo, un café...
C. No, no, de verdad.
M. Pero si le voy a hacer un zumo al niño, no me cuesta nada.
C. Vale, en ese caso, un cafecito.

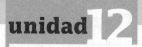

5.2. Elige la respuesta correcta:

1. Los diálogos anteriores se producen en situaciones de:

   a) Mucha confianza entre los interlocutores.
   b) Poca confianza entre los interlocutores.

2. En español, cuando nos ofrecen algo, debemos:

   a) Aceptarlo.
   b) Rechazarlo.

3. La persona que ofrece debe:

   a) Respetar nuestro rechazo.
   b) Insistir en su ofrecimiento.

5.3. Completa:

1. Fórmulas que se usan para ofrecer algo por primera vez:

   _____
   _____
   _____

2. Fórmulas que se usan para rechazar un ofrecimiento:

   _____
   _____
   _____

3. Fórmulas para repetir un ofrecimiento:

   _____
   _____
   _____

4. Fórmulas para aceptar un ofrecimiento:

   _____
   _____
   _____

5.4. Reflexiona: ¿Ocurre lo mismo en tu cultura? ¿Los diálogos serían similares o muy diferentes?

¿Cómo se sentiría una persona de tu país en alguno de los papeles de los diálogos anteriores?

5.5. Arturo es un universitario español que ha pasado un mes en casa de una familia inglesa. El día de su vuelta a España, a la hora de ir al aeropuerto, tiene el siguiente diálogo con el padre de la familia:

– ¿Ya tienes todo preparado?
– Sí, no tengo muchas cosas.
– ¿Quieres que te lleve al aeropuerto?
– No, gracias, no es necesario.
– Bueno, pues me voy al trabajo. Buen viaje.

Y Arturo se queda completamente decepcionado. ¿Por qué? ¿Qué crees tú que esperaba? ¿Qué ha fallado en la comunicación? ¿Qué ocurriría en la misma situación en España?

5.6. Imagina esta situación con otros protagonistas. Esta vez estamos en España y el diálogo tiene lugar entre Arthur, un chico inglés y Pepe, el padre español. ¿Cómo sería?

5.7. Habla con tu compañero:

Alumno A Debes hacer un trabajo con un compañero de universidad al que no conoces mucho. Hoy habéis quedado en tu casa a las cuatro. Cuando llega, tú estás muy cansado porque no has tenido tiempo de comer nada en todo el día, pero debes ser un correcto anfitrión y ofrecerle algo de beber y de comer.	**Alumno B** Debes hacer un trabajo con un compañero de universidad al que no conoces mucho. Hoy habéis quedado en su casa a las cuatro, y tú estás muy cansado, porque no has comido nada en todo el día.
Alumno A Tu coche está averiado y esta tarde tienes que ir a recoger a tus padres al aeropuerto. Un compañero te ofrece el suyo.	**Alumno B** Un compañero tiene que ir esta tarde al aeropuerto a recoger a sus padres, pero su coche está averiado. Tú le ofreces el tuyo.

EDUCACIÓN

unidad 13

OBJETIVOS

- Valorar experiencias del pasado.
- Explicar anécdotas.
- Comparar y contrastar el presente y el pasado educativo.
- Analizar formas de aprender idiomas.

CONTENIDOS LINGÜÍSTICOS

- Conectores textuales.
- Oraciones sustantivas que expresan opinión.
- Expresiones utilizadas para sugerir soluciones.

CONTENIDOS CULTURALES

- El aprendizaje de la lengua española en el mundo.

1. El baúl de los recuerdos

1.1. ¿Recuerdas tu primer día en la escuela? ¿Qué te llamó la atención? ¿Te ocurrió alguna anécdota?

🔊))) **Antes de contestar, escucha a las siguientes personas comentando algunas curiosidades de aquel día y fíjate en los adjetivos y tiempos verbales que utilizan.**

PISTA 22

Mi primer día en la escuela	
A	
B	
C	

1.2. Anotad todos los sustantivos, adjetivos o expresiones que puedan describir una situación o experiencia. Os ayudará a poder describir esas vivencias del pasado.

¡Qué tiempos aquellos!   miedo   ilusión

una experiencia terrible   misterio   _____

_____   _____   _____

_____   _____   _____

1.3. Ahora te toca a ti. Comenta a tus compañeros alguna anécdota personal o que le haya pasado a alguna persona que tú conoces ese primer día.

Ejemplo: *Pues mira, yo recuerdo que aquel día...*

2. Cada maestrillo tiene su librillo

2.1. 🔊 La visión de la escuela ha ido variando con el paso de los años. ¿Qué significó para ti el colegio? ¿Qué sistema pedagógico utilizaban los maestros? ¿Ha cambiado? ¿Qué materias se enseñaban? ¿Qué papel crees que debe desempeñar la escuela en la evolución de un niño? ¿Estás de acuerdo con las siguientes opiniones?

PISTA 23

1

Para mí la educación es esencial, **creo que te abre** o cierra puertas en el mundo actual. Gracias a ella, las mujeres ya podemos acceder a cualquier puesto de trabajo.

2

Me parece injusto y absurdo dejar **que** toda la educación de nuestros hijos **corra** a cargo de la escuela, y echarle la culpa de su éxito o fracaso. Nosotros debemos encargarnos de la educación de nuestros hijos en primer lugar.

3

Pues yo creo que todo el mundo, independientemente de su condición social, **debe** tener acceso y derecho a la educación. **No me parece justo** que sólo ciertas personas **puedan** estudiar.

2.2. Piensa en estas cuestiones y completa el siguiente cuadro según tu postura y los cambios que hayas observado.

	Antes	Ahora
Qué significa colegio.		
Sistema pedagógico.		
Asignaturas impartidas.		
Papel de la escuela/del maestro.		

Antes de exponer tu postura y hablar sobre los cambios que, según tú, ha experimentado la educación en tu país, recuerda algunas expresiones para manifestar la propia opinión:

En mi opinión...   Según yo...   Creo que...

Me parece justo/injusto que...

3. Quién te ha visto y quién te ve

3.1. El sistema educativo ha pasado en España por muchas reformas. El siguiente esquema muestra el estado actual.

EDAD	ESTUDIOS	
3-6 años	Educación Infantil	Tres cursos
6-12 años	Educación Primaria	Seis cursos (1.º-6.º)
12-16 años	Educación Secundaria Obligatoria (ESO), cuatro cursos	Cuatro cursos (1.º–4.º)
16-18 años	Bachilerato o Formación Profesional, dos cursos	Dos cursos (1.º–2.º)
18 +	Educación Universitaria	Tres ciclos

3.2. ¿Cuál es la situación en tu país? ¿Hasta qué edad es obligatoria la educación? ¿Todo el mundo tiene acceso a ella? ¿Bajo qué circunstancias? ¿Podrías hacer un esquema de la situación en tu país? Comenta qué diferencias observas entre el sistema de tu país y el de España.

4. Abriendo fronteras

El **Programa Erasmus** nació en la Unión Europea en 1987. Su objetivo era "impulsar la integración europea a través de la educación, apoyar la movilidad y el conocimiento, para crear poco a poco una ciudadanía continental".

4.1. A continuación aparecen los comentarios de unos jóvenes que vivieron la "experiencia Erasmus". ¿Qué significó para ellos esta experiencia?

Danae (Grecia)

"Una experiencia inolvidable y decisiva en mi vida. Yo viví esta experiencia en Gante (Bélgica). El hecho de oír continuamente inglés, francés u holandés me hicieron sentir que pertenecía a la UE. Allí los conceptos de amistad, fiesta, estudios, viajes y amor toman mayor intensidad. Conocí a muchas personas procedentes de un montón de países: Portugal, Alemania, Finlandia, Italia... Conocí a un Erasmus español que me enseñó a aprender y amar una lengua desconocida para mí hasta aquel momento".

Isabel (España)

"Estaba en cuarto de carrera y estaba pensando pedir una beca Erasmus. Un amigo me comentó que los becarios de ese año iban a dar una fiesta y me sugirió que me pasara por allí y les preguntara qué se necesitaba y para qué me podía servir la experiencia. Entre los chicos había un Erasmus de Grecia, un chico que estaba haciendo unas prácticas de Medicina y que inmediatamente se ofreció a ayudarme. Su ayuda fue tan decisiva y tan impactante que conseguí una beca Erasmus para Atenas y así poder seguir... juntos".

4.2. Y tú, ¿has pedido alguna beca Erasmus o similar? ¿Conoces a alguien que la haya pedido? ¿Piensas hacerlo en el futuro? ¿Qué crees que te puede aportar una experiencia de este tipo?

Ejemplo:
– *Mi hermano fue el año pasado a Finlandia. Volvió diciendo que fue la experiencia de su vida. Hizo un montón de amigos y...*
– *Yo no he vivido esta experiencia, pero me encantaría. Creo que te hace madurar en todos los aspectos y te vuelves más "universal".*

5. Los retos del idioma

5.1. A continuación aparece un texto sobre la situación del español en la Unión Europea. ¿Estás de acuerdo con el título? ¿Por qué?

LOS EUROPEOS VEN EL ESPAÑOL COMO UNA DE LAS LENGUAS MÁS ÚTILES

Las posibilidades que abre la libre circulación de ciudadanos en la Unión Europea son infinitas. Sin embargo, esta libertad para trabajar, estudiar o simplemente viajar por otro estado miembro puede complicarse por el idioma.

La mitad de los europeos son capaces de conversar sin problemas en otra lengua que no sea la de su país de origen, pero las diferencias entre los estados miembros son muy grandes. En una encuesta publicada en abril, se incluía una pregunta para conocer qué lenguas consideraban los europeos como más útiles, además de la suya propia.

En primer lugar, el inglés es para el 70% de los europeos el idioma más útil como segunda lengua. Por lo tanto, es también el más hablado (47%). En segundo lugar, la lengua más útil para los encuestados es el francés, con el 37%. Después aparece el alemán, nombrado por el 23% de los entrevistados. El español es la cuarta lengua, con el 16% de las respuestas. Por último, aparece el italiano que, junto al resto de idiomas comunitarios, representa el 4% de las respuestas.

Sin embargo, el italiano supera al español a la hora de contabilizar cuántos europeos hablan una lengua determinada. Italia tiene más habitantes (57 millones) que España (39 millones). Por eso, el italiano (18%) supera al español (14%) como lengua más hablada.

En cuanto a la lengua más hablada, es sin duda el inglés, ya que la conocen el 47% de los europeos. El alemán es la segunda lengua más hablada en la UE: la maneja un 32% de los europeos. En cambio, sólo el 25% de los europeos hablan francés, lengua comunitaria por excelencia.

Finalmente, en el resto del mundo, la situación del español es bastante mejor que la de otras lenguas europeas como el francés, el alemán o el italiano. El anuario del Instituto Cervantes destaca, por una parte, que el español es el segundo idioma más hablado en Estados Unidos, puesto que allí viven ya más de 31 millones de hispanos. Además, es el segundo idioma preferido por los estudiantes de secundaria y los universitarios. Por otra parte, el estudio destaca también el auge del español en Brasil y su implantación en Asia. Asimismo, el español es el quinto idioma en Internet, detrás de otras lenguas como el inglés, el japonés, el alemán y el chino.

5.2. Vamos ahora a analizar un poco más el texto. ¿Puedes subrayar las palabras que utilizamos para organizar y unir las ideas? Se llaman "conectores textuales". Con la ayuda de tus compañeros, intenta clasificarlos en este cuadro, según lo que expresan:

Introducción de un tema	
Orden y enumeración	
Oposición	
Consecuencia	
Causa	
Adición / continuar	

5.3. ¿Conoces alguno más? Los conectores te serán muy útiles cuando tengas que hacer exposiciones orales.

6. El español, una lengua para el diálogo

Este es el eslogan que utiliza el Instituto Cervantes, encargado de difundir el español, junto con otras instituciones, por el mundo.

6.1. ◀))) **Los motivos, razones o causas para aprender un idioma pueden ser infinitos. Escucha a las siguientes personas y di por qué aprendió español cada una de ellas.**

PISTA 24

	Por qué estudio español
Esperanza	
Richard	
Sonia	

6.2. Y tú, ¿por qué estudias español? Explica a tus compañeros dónde empezó tu relación con el español y por qué.

7. No todo fue un camino de rosas

Aprender idiomas no siempre es fácil. Seguro que en tu aprendizaje del español o de otros idiomas has observado algunos "problemillas".

7.1. Puedes utilizar las siguientes expresiones para explicar cuáles han sido los obstáculos o dificultades que has ido encontrando en tu aprendizaje.

Lo más fácil/difícil es...	Noto que...
Me resulta fácil/difícil...	Creo que hablar/escribir... es...
Me doy cuenta de que...	No progreso tanto como me gustaría...
A mí se me da mejor...	Lo que peor se me da es...

7.2. Hazle a tu compañero las siguientes preguntas y reacciona ante sus respuestas con un consejo o comentando si coincides o no con él. A continuación él te hará también unas preguntas y tú habrás de reaccionar del mismo modo. Fíjate en el ejemplo:

A. *A ti, ¿qué te cuesta más?*
B. *Mira, tengo problemas con los verbos, me hago unos líos tremendos.*
A. *Pues yo en tu lugar haría más ejercicios y leería cuentos, historias breves o pequeños textos para ver cuáles son los más frecuentes y así acostumbrarme a su uso.*

Alumno A

1. Al principio, ¿qué te pareció más difícil: la pronunciación, la gramática, el vocabulario...?
2. ¿Qué actividades crees que se te dan peor?
3. ¿Qué actividades te gustan menos? ¿Por qué?
4. ¿Crees que tu nivel de español es bueno en todos los aspectos?
5. (Completa el "interrogatorio lingüístico" con una pregunta propia).

Alumno B

1. ¿Qué tipo de actividades te gustan más? ¿Por qué?
2. ¿Qué es lo que encuentras más difícil?
3. En tu aprendizaje del español, ¿qué se te da mejor?
4. ¿Cuál es tu actitud ante tus errores?
5. (Completa el "interrogatorio lingüístico" con una pregunta propia).

8. Contigo al fin del mundo, ¿pero adónde?

El mundo quiere hablar español cada vez más. Y las circunstancias ayudan a su expansión. El español es el tercer idioma más hablado en el mundo, con más de 350 millones de personas, por detrás del chino mandarín y el inglés, que cuenta con 500 millones.

8.1. En esta situación se encuentra actualmente el español. Y tú, ¿dónde te encuentras? ¿Cuál es tu relación con el español en el presente? ¿Y en el futuro? A continuación aparece un cuestionario; escucha las respuestas de tu compañero y trata de darle algún consejo, si lo necesita, o coméntale qué harías tú en su lugar; él hará lo mismo contigo.

EL ESPAÑOL Y YO

1. ¿Por qué empezaste a estudiar español?
2. ¿Qué objetivos te planteaste al empezar? ¿Se han cumplido? ¿Por qué?
3. ¿Aprender contenidos culturales te ayuda a entender mejor el funcionamiento de la lengua española? ¿De qué manera?
4. ¿Ha cambiado la opinión que tenías del español y del mundo hispano? ¿En qué aspectos?
5. ¿De qué manera ha influido aprender español en tu vida?
6. ¿Consideras que has aprendido bastante? En caso negativo, ¿a qué crees que se debe?
7. ¿Consideras oportuno ir a algún país de habla hispana para asimilar los conocimientos adquiridos?
8. ¿Quieres tener algún documento que acredite tus conocimientos de español, como el DELE (Diploma de Español Lengua Extranjera)?
9. Y ahora, ¿qué? ¿Qué te gustaría hacer en cursos próximos?
10. Resumiendo, ¿qué sabor de boca te han dejado estos primeros cursos?

unidad
14

OBJETIVOS

- Analizar cambios producidos en el campo técnico y sus consecuencias.
- Hacer hipótesis.
- Describir objetos y hablar de su uso.

CONTENIDOS LINGÜÍSTICOS

- *Antes, ahora.*
- Construcciones de relativo.
- El condicional.

1. ¡Quién te ha visto y quién te ve!

1.1. Si pensamos en cómo era la vida hace 100 años y cómo es en la actualidad, veremos que las cosas han cambiado "un poquito". Fíjate en las siguientes imágenes y describe los cambios que observas.

Ejemplo: *Mi abuela siempre me dice que antes la vida era mucho más dura. Recuerda que lo que menos le gustaba era lavar la ropa a mano; en cambio ahora, con la lavadora, todo es más fácil, aprietas un botón y ya está.*

1.2. ¿Qué otros cambios crees que caracterizan la vida actual?

– Pues creo que...

2. Inventos con historia

2.1. A continuación aparecen una serie de inventos de "aire" español. ¿Los has visto alguna vez? ¿Los has utilizado?

Alumno A

Para saber qué inventos son los que tienes delante habrás de colaborar con tu compañero. Le describirás los dibujos que tienes y él, gracias a tu descripción, te dirá cómo se llaman.

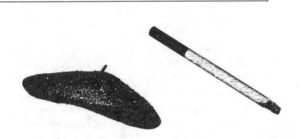

Alumno B

Tienes el nombre de una serie de creaciones españolas y unas breves informaciones. Tu compañero tiene los dibujos que corresponden a estos inventos; te los va a describir y tú vas a decirle el nombre del objeto descrito y le vas a explicar qué más sabes sobre ellos.

boina	Se trata de un tipo de gorra pensada para proteger del frío; su origen se remonta al siglo XV. Es un objeto que ha sido distintivo de ciertas ideas políticas.
cigarrillo	Cuentan que ya en el siglo XVI empezaron a aparecer muestras de este invento; se recogían los restos o desperdicios de las hojas de tabaco, se trituraban y se liaban en hojas de arroz.
fregona	Instrumento de limpieza que apareció en torno al 1956. Manuel Jalón Corominas decidió poner un palo a un montón de tiras de algodón para facilitar la limpieza de los suelos.
peineta	Proviene de uno de los utensilios más antiguos de la humanidad. En su caso, sirve para sujetar el cabello y hacerlo más atractivo. Suele ser un complemento indispensable de ciertos trajes regionales.
porrón	Es un recipiente que permite ofrecer vino en la mesa sin utilizar vasos. Beber sin mancharse es toda una técnica.

2.2. Y tú, ¿conoces algunos objetos que hayan sido creados en tu país? ¿Cómo son? ¿Para qué sirven?

unidad 14

3. Sin ti no podría vivir

¿Te imaginas tu vida diaria sin teléfono o sin televisión?
Cada uno de nosotros tiene algunos objetos indispensables para su "subsistencia"; seguramente podríamos vivir sin ellos, pero nos hemos identificado tanto con ellos que ya forman parte de nosotros mismos.

3.1. 🔊)) **Fíjate en lo que dicen las siguientes personas:**
PISTA 25

> Yo no podría vivir sin mi coche. Vivo en una casa a las afueras de la ciudad y no tengo otro medio para poder ir a mi trabajo.

> La tarjeta de crédito ha facilitado mi vida, ya no necesito pensar si llevo suficiente dinero encima.

> No sé qué haría sin mi teléfono móvil. Gracias a él puedo hablar con todo el mundo a cualquier hora y en cualquier sitio.

> El microscopio forma parte de mi vida, sin él no podría ni trabajar ni realizar mis investigaciones.

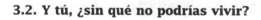

3.2. Y tú, ¿sin qué no podrías vivir?

4. Bola, bolita mágica

Con tanto invento nuevo seguramente otros más antiguos van a ir desapareciendo. ¿Cuáles crees que van a dejar de existir?

4.1. Haz una lista con los objetos que crees que desaparecerán, prepara su descripción según el ejemplo y tus compañeros tratarán de adivinar de qué se trata.

Ejemplo: *Es un objeto que puede explicarnos una historia si lo utilizamos con otro aparato. Su tamaño se ha ido reduciendo con los años, pero a veces se puede rayar y entonces ya no sirve.*

5. Inventos del mañana

5.1. Y a ti ¿qué te gustaría que inventaran? Fíjate en el siguiente diálogo y en los tiempos que utiliza.

– A mí me **gustaría** tener una camiseta que **se adapte** a las condiciones atmosféricas.
– ¿Qué quieres decir?
– Pues mira, que **si hace** frío, me **proteja** contra él; y **si hace** calor, me **refresque**.
– ¡Qué buena idea! ¡Ese sí que es un invento!

5.2. Vamos a dividir la clase en grupos de 3-4 personas. A ver qué grupo encuentra los inventos más "útiles y originales".

Inventos	Utilidad
1.	
2.	
3.	
4.	

6. Regalos con duende

Acertar con un regalo resulta a veces muy complicado. Cuando vas a escogerlo, has de tener en cuenta muchas cosas: los intereses, gustos, preferencias, precio y evitar la frase de "otra vez un perfume" u "otra corbata". Realmente hacer un buen regalo puede darnos más que un dolor de cabeza. Para tener más ideas, ponte en las siguientes situaciones.

6.1. Fíjate primero en las formas verbales que podrías utilizar:

– Necesito un regalo para... que sea... porque le gusta/n...
– Pues te aconsejo que le regales/compres... porque...

6.2.

Alumno A

**Estás cansado de regalar siempre lo mismo, por eso esta vez quieres ser un poco más original. Pídele consejo a tu compañero, a ver si entre los dos encontráis algo más adecuado.
Después puedes ayudar a tu compañero en su "búsqueda" de regalos.**

Situaciones

1. Es el cumpleaños de tu padre. No tienes mucho dinero. Tu padre es muy olvidadizo, nunca sabe dónde deja las cosas.
2. Tu pareja está muy triste, porque este año trabaja por la noche en el hospital y, cuando llega a casa, vuestro hijo ya está dormido. Quieres levantarle el ánimo.
3. La semana que viene celebras con tu pareja vuestro aniversario.
4. Tu amigo Juan pasa en su trabajo muchas horas sentado ante el ordenador. Se queja de la espalda. Le encantan los cómics.

Posibles regalos para aconsejar

- Ramo de rosas rojas.
- Mini-nevera portátil para conservar los alimentos a la temperatura deseada.
- Muñeca de marca conocida, muy televisiva.
- Camiseta doble para personas muy "presumidas".
- Reproductor de CD impermeable para escuchar música hasta debajo del agua.
- Videojuego "A ver quién da más golpes".
- Sillón hinchable ideal para relajarse y olvidar las tensiones del trabajo.

Alumno B	Situaciones	Posibles regalos para aconsejar
Tu compañero y tú tenéis que hacer algunos regalos. Como estáis cansados de regalar siempre lo mismo habéis decidido esta vez ser más originales. Ayúdale a encontrar los regalos adecuados a sus situaciones y, después, él te ayudará a ti.	1. A tu padre le gusta echarse la siesta después de comer delante de la televisión. 2. A tu pareja le gusta tanto la música que querría escucharla hasta en la ducha. 3. Es el santo de tu hermano. Le encanta la ropa. Se puede cambiar hasta cuatro veces al día. 4. Tu madre pasa muchas horas en el despacho y se queja últimamente del estómago; demasiado café y comida "basura".	▪ Corbata clásica. ▪ Llavero con localizador incorporado. ▪ CD del grupo de moda. ▪ Cojín anatómico con el diseño que tú quieras. ▪ Muñeca que dispone de micrófono que permite grabar cualquier mensaje. ▪ Bote de colonia. ▪ Bombones personalizados, se puede grabar el nombre de los "tortolitos".

7. ¡Otro virus informático!

7.1. 🔊 **En primer lugar vas a oír el comentario que hace una presentadora para introducir el tema del debate: "Las plagas del siglo XXI".**
PISTA 26

¿A qué temas hace referencia?

_____

_____

7.2. Para ti, ¿cuáles son las "plagas" del siglo XXI?

_____

7.3. 🔊 **Ahora vas a escuchar a algunas personas hablando sobre la influencia de Internet en sus vidas. ¿Qué efectos ha producido sobre cada uno de ellos, positivos o negativos?**
PISTA 27

	Cómo cambió Internet nuestra vida
Señora de mediana edad	
Chico de unos 20 años	
Señor de unos 65 años	
Señora de mediana edad	
Chica de unos 20 años	

7.4. **Y tú, ¿eres también uno de los usuarios diarios de Internet? ¿De qué manera ha influido en tu vida personal y profesional?**

Pues mira, yo no creo que Internet sea "bueno" o "malo", sino que todo depende del uso que se haga. Por ejemplo, creo que es útil para hallar información rápidamente, pero los niños deben tener cuidado con las páginas que abren, porque...

8. Tecnología al ataque

8.1. **Vamos a entablar un debate sobre el desarrollo tecnológico y su influencia en nuestra vida. ¿De qué manera ha influido la tecnología en tu vida? ¿Qué futuro nos espera?**

Antes de contestar a estas preguntas, completa con tu compañero el siguiente cuadro para defender vuestras teorías ante el resto de la clase.

Tecnología y educación
Tecnología y paro

....

Ventajas	Inconvenientes

BLOQUE 3

SOMOS ASÍ

unidad 15

OBJETIVOS

- Expresar opiniones.
- Fomentar el uso de estrategias para solucionar posibles carencias de vocabulario.

CONTENIDOS LINGÜÍSTICOS

- Verbos de opinión.
- Verbos de valoración.

CONTENIDOS CULTURALES

- Las relaciones de pareja.
- El uso del tiempo en España (horarios y vacaciones).

1. La ley del tabaco

A continuación vamos a leer informaciones sobre algunas leyes muy importantes para la sociedad española que han entrado en vigor en los últimos años.
En enero de 2006 entró en vigor la prohibición de fumar en los centros de trabajo, restaurantes y muchos bares españoles, con lo que los fumadores están prácticamente vetados en la vida social española, ya que se trata de una de las leyes contra el tabaco más severas de Europa.

espacio
sin humo

1.1. 👥 **Tu compañero y tú vais a intentar completar la ley. Resume con tus palabras la información que tienes para que tu compañero pueda contestar a las preguntas que se le plantean. Después el hará lo mismo para que tú puedas completar tu texto.**

Por ejemplo: *En el punto 1 se dice que...*

Alumno A

1. Sin tabaco en las reuniones y actos sociales
   Los dueños de bares y restaurantes de menos de 100 metros cuadrados podrán decidir si el tabaco es bienvenido o no en sus locales. En los establecimientos más grandes estarán permitidas las salas de fumadores que no superen el 30% de la superficie o los 300 metros cuadrados.

2. Para comprar tabaco debes tener al menos ....

3. Límites a la publicidad
   La nueva legislación prohíbe la "publicidad, promoción y patrocinio del tabaco en todos los medios". Los deportes de motor contarán con un plazo máximo de tres años para implantar la prohibición. "La retransmisión de un gran premio equivale a 50 anuncios de tabaco de 30 segundos", resalta el portavoz del CNPT.

4. En comparación con Europa, los precios del tabaco en España ....

   ¿Va a subir el precio del tabaco? ....

   Para vender más, las tabaqueras ....

Alumno B

1. El que decide si en un bar o restaurante se puede fumar es ....

Para que un bar o restaurante pueda contar con una sala de fumadores, ...

2. Proteger a los menores de 18 años
Uno de los objetivos principales de la normativa es disminuir y prevenir el consumo entre los jóvenes. La edad mínima para vender y comprar tabaco, o productos que inciten a su consumo (por ejemplo, cigarrillos de chocolate), queda fijada en los 18 años.

3. La publicidad en los medios de comunicación ....

En los deportes de motor (Fórmula 1, motociclismo) ....

4. El precio se mantiene
La nueva ley no contempla la subida del precio del tabaco, uno de los más bajos de la UE. Según el Ministerio de Sanidad, esta medida no está incluida en la normativa, porque corresponde al Ministerio de Hacienda. Para intentar reducir el impacto de la ley, una de las últimas estrategias de las tabaqueras ha consistido en vender cajetillas a bajo coste.

1.2. Pero, ¿qué reacciones causó la aplicación de esta ley? A continuación tienes algunas de ellas.

Alumno A

Cuéntaselas a tu compañero, utilizando verbos de opinión o de valoración (decir, pensar, creer, parecer bien/mal...). ¡Cuidado! Para hacerlo un poco más difícil, no puedes utilizar las palabras prohibidas, señaladas en negrita. Él debe encontrar quién ha dicho cada cosa. Por ejemplo: *Álvaro Martín cree que...*

■ Álvaro Martín, director del Club de Fumadores por la Tolerancia:
"Va a haber **conflictos** importantes en los **centros de trabajo,** que se podrían haber evitado con una ley más **flexible.** Esta normativa favorece la **discriminación** de los fumadores y el mal **ambiente** en el trabajo, ya que fomenta las **denuncias** entre los empleados que fumen".
(Palabras prohibidas: conflicto, centros de trabajo, flexible, discriminación, ambiente, denuncias.)

■ José Martínez Olmos, secretario general de Sanidad:
"La **actitud** de la gente está siendo muy **positiva;** en el **ámbito laboral** no está habiendo **dificultades** porque la gente está **cumpliendo** la norma, como era de esperar".
(Palabras prohibidas: actitud, positiva, ámbito laboral, dificultades, cumplir.)

■ Belén y Ahmet, trabajadores de una compañía aérea:
"En España se va a **tardar** bastante en **cumplir** la ley porque es muy **difícil** decirle a un fumador que, **de golpe,** tiene que **dejar** el **hábito.** No se puede hacer así".
(Palabras prohibidas: tardar, cumplir, difícil, de golpe, dejar, hábito.)

■ Felipe, empleado de una consultora:
"La **prohibición favorece** a las empresas. La gente va a **trabajar** más porque no vamos a ir, como antes, **cada hora** a fumar. De todas formas, a mí me viene **bien,** será una **ayuda** más para **dejar** el tabaco".
(Palabras prohibidas: prohibición, favorecer, trabajar, cada hora, bien, ayuda, dejar.)

unidad 15

Alumno B

Tu compañero va a contarte las opiniones de estas personas. Antes, tú vas a leerlas. ¿Puedes relacionar cada nombre con cada opinión?

- Álvaro Martín, director del Club de Fumadores por la Tolerancia: _____
- Belén y Ahmet, trabajadores de una compañía aérea: _____
- José Martínez Olmos, secretario general de Sanidad: _____
- Felipe, empleado de una consultora: _____

1. "La prohibición favorece a las empresas. La gente va a trabajar más porque no vamos a ir, como antes, cada hora a fumar. De todas formas, a mí me viene bien, será una ayuda más para dejar el tabaco".
2. "Va a haber conflictos importantes en los centros de trabajo, que se podrían haber evitado con una ley más flexible. Esta normativa favorece la discriminación de los fumadores y el mal ambiente en el trabajo, ya que fomenta las denuncias entre los empleados que fumen".
3. "En nuestra opinión, en España se va a tardar bastante en cumplir la ley porque es muy difícil decirle a un fumador que, de golpe, tiene que dejar el hábito. No se puede hacer así".
4. "La actitud de la gente está siendo muy positiva; en el ámbito laboral no está habiendo dificultades porque la gente está cumpliendo la norma, como era de esperar".

2. Leyes que regulan la convivencia de las parejas

2.1. Piensa en las opciones más frecuentes en tu país y coméntalo con tus compañeros:

- Las parejas se van a vivir juntos sin casarse.
- Las parejas no viven juntas sin casarse.
- Casi todos los que se casan lo hacen por la Iglesia.
- La mayoría opta por el matrimonio civil.
- Las parejas prefieren otro tipo de uniones legales, pero no el matrimonio.
- Otras.

2.2. En grupos de tres. En España, cuando una pareja decide formalizar su relación, tiene varias opciones posibles. Para saber un poco más de ellas, lee uno de estos textos. Luego hazle un resumen a tus compañeros. Presta atención a lo que te van a decir ellos, porque te servirá después para comparar la situación con la de tu país.

LEY DE PAREJAS DE HECHO Desde mayo de 2003 está en vigor en España esta ley que regula las uniones afectivas entre dos personas que por cualquier motivo no desean casarse. Una pareja de hecho es la unión de dos personas, con independencia de su opción sexual, a fin de convivir de forma estable, en una relación de afectividad análoga a la conyugal.

Los requisitos para poder formar una pareja de hecho son: ser mayor de edad, no estar casado, no ser pariente directo de la otra persona. Las parejas de hecho se benefician de los mismos derechos que las parejas unidas en matrimonio.

LEY DE MATRIMONIOS HOMOSEXUALES

El Gobierno español aprobó en junio de 2005 la ley que permite el matrimonio entre homosexuales y equipara todos sus derechos a los de los heterosexuales.

El cambio en la legislación convirtió a España en el tercer país del mundo que acepta los matrimonios homosexuales, después de Holanda y Bélgica, en una medida que podría afectar a cuatro millones de personas en una población de 40, según estadísticas de las asociaciones de gays y lesbianas.

La iniciativa del gobierno español ha suscitado críticas de la Iglesia Católica y algunos partidos, y ha sido considerada un "hito histórico" por las agrupaciones de gays.

Las parejas homosexuales podrán adoptar hijos, ser partícipes de las herencias o divorciarse en los mismos términos que las uniones tradicionales. Además, tendrán derecho a las pensiones de viudedad y a los mismos beneficios laborales y fiscales.

LAS BODAS

El porcentaje de matrimonios católicos sobre el total ha descendido durante los últimos años. Hacia el año 2000, parecía estabilizarse en el 75%, pero desde entonces ha caído bruscamente hasta el 71% en 2002 o el 62,6% en 2004. Eso significa que un 40 % de los matrimonios que se realizan en España son por lo civil.

En 2005 la edad media de los contrayentes fue de 30 años para las mujeres y de 32 para los hombres.

2.3. ¿Y en tu país, qué pasa? Compara la situación con la de España. Para ello, prepara un pequeño texto y preséntaselo a tus compañeros.

Puedes pensar en cosas como: las opciones posibles, la opción más frecuente, la aceptación social de cada una de ellas, la edad en que las parejas suelen formalizar su relación, el papel del resto de la familia en una decisión de este tipo, etc.

Ejemplo: *En España la mayoría de la gente se casa por la Iglesia, pero en mi país...*

3. La familia

3.1. Los textos que hemos leído nos muestran que la sociedad está cambiando. Algunas personas creen que esto afectará significativamente a la familia tal como se entendía hasta hoy. ¿Cuál es tu opinión respecto a este tema?

3.2. Mira estas imágenes. ¿Qué se celebra? ¿Por qué lo sabes? ¿Dónde estamos? ¿Es igual donde tú vives? ¿Hay algo que te llama la atención?

3.3. Cuenta a tus compañeros lo que hace la gente en tu país cuando se casa (ropa, celebración, regalos, comida, etc). Podrías traer fotos a la clase para presentar vuestras costumbres.

4. Los horarios españoles

4.1. ¿Sabías que el horario español presenta algunas diferencias respecto al del resto de Europa? ¿Podríais explicar cuáles son esas diferencias?

4.2. Para intentar acercar el horario español al europeo, en 2003 se creó la Comisión Nacional para Racionalizar los Horarios Españoles. Vamos a leer algunas opiniones al respecto.

👥 **En parejas. Cada alumno lee un texto, que debe resumir al compañero, el cual tendrá que contestar a unas preguntas**

Alumno A

Texto

Necesitamos un cambio de los horarios de trabajo. Al igual que aceptamos el euro, deberíamos tener los mismos horarios que la mayoría de los países de Europa.

El horario español tradicional era un horario más tardío, con el cierre de muchas actividades a las horas de comer, mientras que el europeo consiste en adelantar todo lo posible la jornada para retirarse pronto y disfrutar de más tiempo libre.

Ese proceso ya ha comenzado, pero de una forma espontánea y desorganizada. Por lo tanto, podemos decir que la situación española actual es mixta: incluso en las mismas familias, hay trabajadores que siguen una jornada partida y otros que se adaptan a una jornada continua. Los horarios españoles con jornadas de trabajo interminables no conducen a ninguna parte, puesto que influyen, junto a otros factores, en el aumento del estrés. Además, la falta de horas de sueño repercute negativamente en el rendimiento laboral y en el número de accidentes laborales, domésticos y de tráfico.

No intentamos obligar a nadie a cambiar sus hábitos, pero nos parece razonable acortar la jornada laboral, aunque sin que disminuyan las horas de trabajo, lo que tiene como consecuencia la disponibilidad de más tiempo para utilizarlo como mejor nos plazca, en nuestro ocio, con nuestros amigos o con nuestra familia. No sabemos apreciar el valor del tiempo y es de singular importancia que aprendamos a valorar cada uno de los minutos que tienen las veinticuatro horas del día, tanto los nuestros como los que pertenecen a los demás.

Preguntas, alumno A:
1. ¿El horario español es similar al europeo?
2. ¿Existe en la familia española una homogeneidad en cuanto a los horarios?
3. ¿Qué repercusiones puede tener un horario interminable en la salud?
4. ¿Qué consecuencias conlleva la reducción de la jornada laboral?

Alumno B

Texto

Después de la ley antitabaco, la tendencia totalitaria que nos invade pretende modificar los horarios de la población española, esto es, sus hábitos y su utilización del tiempo. He visto en la pantalla al Presidente de la Comisión Nacional de Horarios, regañándonos por las horas en que almorzamos, cenamos, vemos la televisión o nos acostamos. No creo que los españoles estén tensos y angustiados por hacer una larga pausa para el almuerzo e irse tarde a la cama. ¿No hay más motivos de tensión y angustia? ¿Y cómo sabemos si la gente no estaría aún peor con los horarios europeos?

Si el Gobierno no quiere ser totalitario, haría bien en no meterse donde no lo llaman, en no opinar más de lo justo, en no entrometerse en nuestras vidas y costumbres, en administrar lo que le prestamos y en dejarnos en paz con sus vigilancias, imposiciones y manipulaciones.

Preguntas, alumno B:
1. ¿Quién propone que se cambien los horarios españoles?
2. ¿A qué actividades diarias afectaría el cambio de horario?
3. ¿El autor del texto está de acuerdo con este cambio?

5. Vacaciones en agosto

5.1. Lee esta noticia aparecida en un periódico español:

> **La UE quiere acabar con las vacaciones de verano**
>
> La Comisaria europea de la Competencia piensa que la economía se beneficiaría si las vacaciones se distribuyeran a lo largo del año en lugar de concentrarlas en el periodo de verano, ya que, en su opinión, actualmente Europa no funciona durante los tres meses de verano y esto tiene que cambiar. "Todo el mundo necesita vacaciones, pero se pueden repartir", ha explicado la Comisaria en una reunión del Parlamento Europeo.
>
> Sin embargo, estas medidas no cuentan con el apoyo de la mayoría de los países miembros, que se han movilizado con fuerza para defender sus derechos y prestaciones.

5.2. En tu país, ¿existen las vacaciones de verano? ¿Qué hace la gente? ¿En qué épocas del año disfrutan de sus vacaciones?

5.3. ¿Estáis de acuerdo con lo que dice la Comisaria europea? Dividíos en dos grupos, a favor y en contra, y preparad vuestros argumentos para intentar convencer a los del equipo contrario.

En el debate, podéis utilizar los siguientes recursos:

Para expresar opinión	Para interrumpir	Pedir apoyo
Creo que... Pienso que... Me parece que... En mi opinión... Desde mi punto de vista... Está claro que... Es obvio que... Es evidente que...	Me gustaría decir/ añadir una cosa. Perdona que te interrumpa... Sobre eso tengo algo que decir	¿No es verdad? ¿No tengo razón? ¿No es así?
Para aludir a algo dicho	**Ganar tiempo para pensar**	**Contraponer razones**
Respecto a eso... Respecto a lo que ha(s) dicho... En cuanto a... Sobre...	Bien... Pues... Hum, hum... A ver... Un momento... Hombre, pues...	Yo no lo veo así No estoy de acuerdo con eso/contigo/con usted... Quizás, pero...

6. ¿Qué pide la clase?

6.1. En grupos de tres o cuatro, decidid vuestras reivindicaciones. Después, ponedlas en común con toda la clase y redactad un manifiesto (podéis utilizar los verbos que aparecen a continuación). ¿A quién se lo podríais enviar?

> Queremos que...   Creemos que......   Pedimos que...   Nos parece mal que...
> Nos preocupa que...   Suponemos que...   No nos gusta que...   Etcétera.

Vamos a aprender cómo hacemos una exposición oral a partir de un tema.

1. ¿Cómo hacer una exposición oral?
1. Piensa en los aspectos del tema que vas a tratar y prepara un pequeño esquema.
2. Prepara el vocabulario que vas a necesitar.
3. Ordena los argumentos que vas a exponer.
4. Imagina qué preguntas te pueden plantear.

¿Quién quiere empezar? Los demás vais a escuchar a vuestro compañero y a pensar preguntas relacionadas con el tema que le podéis hacer después. Al final, debéis rellenar una plantilla de valoración y comentarle qué tal lo ha hecho.

2. Plantilla de valoración
Si quieres ayudar a tu compañero a que mejore su nivel en futuras exposiciones orales y tenga una imagen global de cómo lo ha hecho, completa la siguiente plantilla (puedes añadir los comentarios que creas convenientes).

1. La exposición ha sido:
   a) muy buena, clara y amena.
   b) buena, aunque confusa a veces.
   c) regular, no ha sabido transmitir sus ideas.
2. El vocabulario empleado ha sido:
   a) rico y apropiado.
   b) limitado.
   c) incorrecto y pobre.
3. Respecto a la gramática:
   a) errores muy escasos, sólo en estructuras muy difíciles.
   b) confusión en el uso de los tiempos verbales, preposiciones, etc.
   c) frases muy simples propias de un nivel inferior.
4. Ante las dudas planteadas:
   a) ha respondido satisfactoriamente, añadiendo incluso más información.
   b) ha respondido escuetamente, sin demasiados detalles.
   c) no ha sabido aclarar las dudas surgidas a lo largo de su exposición.
5. Respecto al ritmo de la exposición:
   a) ha hablado fluidamente durante toda la exposición.
   b) a veces había pausas, pero sin impacientar a quienes le escuchaban.
   c) discurso excesivamente entrecortado y con numerosas pausas.
6. Sobre el contenido del tema:
   a) se ha tratado de manera muy completa, con ideas originales.
   b) aunque bien, sólo se han trabajado algunos aspectos.
   c) demasiado pobre para el nivel.
7. Impresión global:
   a) cuál ha sido el mejor apartado.
   b) qué se podría mejorar.
   c) qué apartado no ha sido trabajado adecuadamente.
8. Sugerencias y consejos para futuras exposiciones:

   _____

   _____

   _____

3. Temas para exponer
- A continuación te presentamos una serie de temas para que prepares una exposición oral.
- Deberás hablar unos tres minutos, y después tus compañeros te harán algunas preguntas.

- Prepara un guión sobre qué podrías tratar en cada uno de estos temas. Puedes utilizar algunos de los conectores del cuadro para organizar tu discurso.
- Para ayudarte, algunos de los temas aparecen con algunas sugerencias. En cuanto a los otros, ¿podéis pensar todos juntos los aspectos de los que podríais hablar?

1. Los mitos de la alimentación actual.
   - ¿Somos lo que comemos?
   - Productos biológicos.
   - ¿La alimentación varía según la edad?
   - El papel de la comida en tu país.
2. Viajar para aprender, viajar para descansar.
   - Las compañías de bajo coste.
   - Viajes culturales.
   - Sol, playa y hamaca.
3. ¿Se nos informa objetivamente?
   - Los medios de comunicación actuales.
   - Los medios más populares.
   - El espíritu crítico de los ciudadanos.
4. ¿En el futuro pagaremos por disponer de tiempo de ocio?
   - El coste de la diversión.
   - La variedad de oferta.
   - Cambios en la disposición del tiempo libre.
5. La educación en mi país.
6. Las posibilidades de Internet.
7. El trabajo en el futuro.
8. Vivir en el extranjero.
9. Mi país.
10. Malentendidos culturales.
11. Aprender idiomas.
12. ¿Leyes restrictivas o libertad de elección?
13. Medicina pública, medicina privada.
14. El séptimo arte.
15. ¿Cuidarse para gustar?

Conectores para organizar el discurso

Para ordenar la ideas
Antes de nada, hay que decir que...
En primer lugar...
En segundo lugar...
Por último...

Para valorar los pros y los contras
Por un lado... por otro...
Por una parte... por otra...

Para contraponer razones
Sin embargo...
A pesar de eso...
Pero...
Ahora bien...

Conclusiones
Por eso...
Así que...
Entonces...
Total que...

Para aludir a algo ya presentado
Respecto a...
En cuanto a...
En relación a...

Para añadir un argumento más
Además...
Y no sólo eso...
Pero sobre todo...
Incluso...

Nuevo argumento
De todas maneras...
En cualquier caso...

Para conclusiones
En definitiva...
En conclusión...
Pero, al final, lo más importante es...

SOLUCIONES
Y
TRANSCRIPCIONES

SOLUCIONES

Bloque 1

Unidad 1: Nuestras relaciones con los otros

Ejercicio 1.1

Alumno A: Optimista/pesimista; inseguro/seguro; sincero/hipócrita; impaciente/paciente; responsable/irresponsable; abierto/cerrado.

Alumno B: Simpático/antipático; trabajador/perezoso; malo/bueno; generoso/tacaño; tranquilo/nervioso; aburrido/interesante.

Ejercicio 1.2 (Se añaden solo los antónimos de los adjetivos que no aparecen en el ejercicio anterior.)

Positivos	Negativos
Bueno	Hipócrita
Interesante	Nervioso
Alegre/triste	Antipático
Paciente	Cerrado
Activo/pasivo, parado	Tacaño
Seguro	Perezoso
Sociable/insociable, tímido	Pesimista
Extrovertido/introvertido	Irresponsable
	Miedoso/valiente
	Desordenado/ordenado

Ejercicio 2.1

A está aburrido; B está contenta; C está enfadado; D están contentos; E está enfadada; F está cansado; G está preocupada.

Ejercicio 2.3

Con SER se refieren a rasgos del carácter.
Con ESTAR se refieren a estados de ánimo.

Ejercicio 4.1

¿Qué te preocupa? Las guerras.
¿Qué no soportas? El racismo.
¿Qué estilo de música te gusta? El rock de los años 80.
¿Qué tipo de cine no te gusta nada? El de terror.

¿Cuál es tu color favorito? El azul.
¿Cuál es tu comida preferida? La pasta.
¿Cuál es tu película favorita? *Grease.*

¿Quién es tu actor favorito? Clint Eastwood.
¿Con quién te llevas mal? Con mi vecino de arriba.
¿A quién te gustaría conocer? A Javier Bardem.

¿Dónde te gustaría vivir? En Roma.
¿Adónde querrías ir de vacaciones este verano? A una isla griega.

Ejercicio 4.2

QUÉ suele ir seguido de un nombre.
CUÁL funciona como pronombre, por lo tanto no va seguido de un sustantivo. Sirve para identificar algo entre varias opciones posibles.
QUIÉN se usa para personas y con la preposición adecuada dependiendo del verbo.
DÓNDE se usa para lugares.
ADÓNDE se usa para lugares con verbos que exigen la preposición "a".

Ejercicio 4.3

1. ¿Qué...?
2. ¿Qué...?
3. ¿Qué...? ¿Quién...?
4. ¿Quién...?
5. ¿Qué...? ¿Quién...?
6. ¿Qué...? ¿Quién...?
7. ¿Cuál...?
8. ¿Dónde...? ¿Con quién...?
9. ¿Quién...?
10. ¿Dónde...?

Ejercicio 5.1

Nombre: Susana García
Edad: 36
Profesión: profesora de inglés
Carácter: simpática, ordenada
Aficiones: bailar, el cine norteamericano

Nombre: Margarita López
Edad: 36
Profesión: pediatra
Carácter: tímida, cariñosa, activa
Aficiones: la literatura, la música, pasear por el campo

Nombre: Jaime Infiesta
Edad: 38
Profesión: informático
Carácter: activo, con sentido del humor, sociable
Aficiones: el cine, cocinar, hacer deporte

Ejercicio 6.1
Alumno A: 1. ¡Feliz cumpleaños! 2. No es necesario 3. ¡Que lo pases bien! 4. ¡Que te mejores! 5. ¡Qué pena!

Alumno B: 1. ¡Qué suerte! ¡Qué alegría! 2. ¡Que descanses! 3. ¡Que tengas suerte!
4. Lo siento mucho 5. ¡Qué rollo!

Ejercicio 6.2
• Estoy muy enfadado con mi colega, debíamos entregar un trabajo mañana y aún no ha hecho nada. Él me dice: ¡No te pongas así!
• Voy a comer algo, que tengo mucha hambre. Me dicen: ¡Qué aproveche!
• Me caso, he encontrado trabajo, he ganado un premio... Mis amigos me felicitan: ¡Enhorabuena!
• ¿Quieres que vayamos al cine esta noche? ¿Vendrás a mi fiesta de cumpleaños?: Por supuesto.
• Se ha muerto mi abuela. Mis amigos me dicen: Te acompaño en el sentimiento.

Unidad 2: Nuestros recuerdos y nuestras experiencias

Ejercicio 1.1
Para expresar sorpresa: ¿En serio?
Para expresar incredulidad: ¡Anda ya!
Para expresar interés: ¿Sí? ¿Y qué pasó?
Para expresar alegría: ¡Qué bien!
Para expresar tristeza: ¡Vaya! ¡Qué pena!

Ejercicio 1.2
Para expresar sorpresa: ¡No me digas! ¿De verdad?
Para expresar incredulidad: ¡Venga ya
Para expresar alegría: ¡Qué suerte!
Para expresar tristeza: ¡Qué mal!

Ejercicio 1.3

1. ¿Te acuerdas de Juan y María? Iban a casarse y, unas semanas antes de la boda, se han separado. – ¿En serio? / ¡No me digas! / ¿De verdad?
2. Me han llamado del trabajo y me han dicho que no puedo irme de vacaciones. – ¡Vaya! / ¡Qué pena! / ¡Qué mal!

Ejercicio 4.2

- volverse – c) Cambios espontáneos y definitivos. Normalmente se refieren al carácter y tienen un significado negativo.
- hacerse – d) Cambios decididos por el sujeto o presentados como algo natural. Se utiliza con nombres o con adjetivos.
- dejar de + infinitivo – a) Fin de un hábito o costumbre.
- seguir + gerundio – b) Continuación de un hábito o costumbre.
- antes + imperfecto / ya no – a) Fin de un hábito o costumbre.

Unidad 3: Nuestros sentimientos

Ejercicio 7.1

- Los padres ayudan económicamente a su hijos. Verdadero.
- Es casi obligatorio comprar una casa para los hijos, especialmente si son mujeres. Falso.
- Los hijos se van muy pronto de casa, alrededor de los 18 años. Falso.
- Los niños que nacen en una familia llevan siempre el nombre de sus abuelos. Falso.
- En la actualidad está permitido el matrimonio entre dos personas del mismo sexo. Verdadero.
- La mayoría de la gente se casa por la iglesia. Verdadero.
- Las familias españolas tienen una media de tres hijos. Falso.
- Muchos jóvenes de 30 años todavía viven con sus padres. Verdadero.
- A veces los abuelos viven con la familia, es decir, con sus hijos y sus nietos. Verdadero.
- Con frecuencia los abuelos cuidan de sus nietos mientras loa padres del niño trabajan. Verdadero.

Unidad 4: Nuestra salud

Ejercicio 1.1

Enfermedad	Prevención	Remedios
Dolor de cabeza Puede ser provocado por factores como el estrés, comer o beber excesivamente, un medio ambiente ruidoso o contaminado, dormir poco o demasiado, o un trabajo pesado.	Evite las comidas pesadas; no beba alcohol; intente dejar las preocupaciones en la oficina; ventile el dormitorio.	Dese masajes para estirar los músculos de los hombros, del cuello, de la mandíbula y del cuero cabelludo. Tome un baño caliente y acuéstese colocando un paño caliente. Escuche música suave y duerma todo lo que pueda.
Caries Al principio produce un dolor suave cuando se come algún alimento dulce, muy caliente o muy frío...	Siga una alimentación adecuada, baja en azúcares. Aprenda a cepillarse los dientes después de cada comida. Hágase revisiones periódicas de su dentadura.	Vaya al dentista, que le hará el tratamiento más adecuado: sanear la pieza y rellenar el hueco o, en caso extremo, extraer el diente o la muela.
Insomnio Esta enfermedad puede aparecer debido a preocupaciones, tensión o depresión, aunque también pueden causarla el dolor...	Reduzca el consumo de café, té o alcohol. Evite cenar tarde o en exceso. No piense en el trabajo ni en los problemas antes de ir a dormir.	Beba un vaso de leche calentita antes de ir a dormir. Tome un baño relajante antes de acostarse. Asegúrese de que el dormitorio tiene una temperatura agradable.

Enfermedad	Prevención	Remedios
Conjuntivitis Los signos son enrojecimiento del blanco del ojo, lagrimeo, dolor y sensación de tener algún cuerpo extraño...	No se toque los ojos, mantenga las toallas alejadas del resto de ropa, no use otras gafas que no sean las propias.	Lavar los ojos con agua hervida o suero salino.
Anemia Los síntomas más comunes son la somnolencia, la palidez y la dificultad para respirar. Algunas veces también se presentan palpitaciones e insuficiencia cardiaca...	Evite la deficiencia de hierro. Siga una dieta equilibrada en la que incluya carne, leche, frutos secos y verduras.	Tome alimentos con gran proporción de hierro, como la carne, el hígado, la leche, el pan integral, las verduras de hojas verdes y los frutos secos. También, si se trata de un caso grave, recurra a un suministro de hierro en tabletas o inyecciones, según le aconseje su médico.
Gripe Los síntomas son escalofríos y fiebre, que en algunas ocasiones alcanza hasta los 39 ˚C, estornudos, dolor de cabeza...	Refuerce sus defensas con mucha vitamina C.	Descanse y beba muchos líquidos. En casos extremos, consulte a su médico sobre el tratamiento que debe seguir.

Ejercicio 3.1

Síntomas: Cansancio; nerviosismo; problemas de concentración, preocupaciones anticipadas, taquicardias, problemas de sueño y sexuales, dolores de cabeza, etc.
Causas: Un estilo de vida cada día más competitivo y menor capacidad de resistencia del individuo.
Remedio: Plantearse que hay un problema y buscar una solución, incluso pedir ayuda psicológica; lo importante es cambiar de actitud.

Ejercicio 4

Tipo de medicina	Explicación
Acupuntura	Técnica empleada por la medicina china, considera...
Aromaterapia	Se basa en la aplicación de óleos y aceites esenciales de plantas aromáticas...
Reflexología podal	Por medio de masajes en pies y manos se tratan enfermedades...
Yoga	Sistema que pretende lograr una profunda relajación, tranquilidad...
Musicoterapia	Utiliza las posibilidades de la música para inducir emociones...
Ozonoterapia	Se utiliza el ozono para el tratamiento de patologías ortopédicas...
Homeopatía	Consiste en administrar al paciente pequeñas dosis de sustancias...
Fitoterapia	Busca reestablecer la salud a través de remedios vegetales...

Unidad 5: Nuestros planes y expectativas

Ejercicio 1

	Diálogo n.º	Formas verbales	Expresiones de tiempo
Un plan que se ha programado	4, 6, 7	vamos pienso estar pienso estar	El próximo lunes Este fin de semana
Una predicción	2, 5	me quedaré iré	Dentro de una semana El martes que viene
Algo establecido, que no depende de la voluntad de nadie	1, 3	es es	Pasado mañana La próxima semana

Ejercicio 3.1
Alumno A

Persona	Verbo	Term.
(yo)		
(tú)	verás	**-ás**
(él, ella, usted)		
(nosotros/-as)	compraremos	**-emos**
(vosotros/-as)		
(ellos, ellas, ustedes)	se alegrarán	**-án**

Alumno B

Persona	Verbo	Term.
(yo)	estaré	**-é**
(tú)		
(él, ella, usted)	lloverá	**-á**
(nosotros/-as)		
(vosotros/-as)	iréis	**-éis**
(ellos, ellas, ustedes)		

Ejercicio 3.3
- podremos: poder
- sabré: saber
- querrás: querer
- harán: hacer
- saldrá: salir
- cabrás: caber
- vendremos: venir
- dirán: decir
- pondré: poner
- tendréis: tener
- habrá: haber
- valdrán: valer

Ejercicio 4.2
Yo creo / A mí me parece que María se casará con ese hombre / tendrá un niño / irá de vacaciones a Italia o a París / ganará mucho dinero...

Ejercicio 5.1

	Sí	No	No se sabe	Expresión
Juan - ir al cine			X	Ya veremos
María - ir a la fiesta	X			Bueno, vale...
Pedro - ir de excursión		X		Es que... Otra vez será

Ejercicio 7. 1
Me gustaría salir más. / Me apetece ver a mis amigos más a menudo. / Tengo ganas de ir al cine. / Me apetece jugar al fútbol. / Me gustaría divertirme más, ver menos la tele... etc.

Tarea de evaluación 1

Ejercicio 4
El orden de las imágenes es: 5, 2, 4, 3, 6, 1.

Unidad 6: Viva el séptimo arte

Ejercicio 2.1
Alumno A
1. Jennifer López / 2. Javier Bardem / 3. Nicole Kidman / 4. Jonny Depp.

Alumno B
A. Benicio Del Toro. / B. Penélope Cruz. / C. Robert de Niro. / D. Meg Ryan.

Ejercicio 3.3
Alumno A

Cine mudo	Se utilizan gestos y expresiones en lugar de palabras, que aparecen escritos en recuadros negros y enmarcados.
Películas de terror	En este tipo de películas suele haber muchos crímenes, sangre..., para producir miedo.
Películas musicales	En estas películas el sonido tiene un papel fundamental, de modo que la acción o protagonistas se desenvuelven en un ambiente "artístico".
Películas de suspense	Aparecen escenas llenas de tensión, de misterio, de crímenes no resueltos..., hasta que llega el final.
Películas de animación	Los protagonistas suelen ser muñecos o imágenes divertidos y alegres. Este tipo de películas gusta sobre todo a los niños o a adultos con corazón de niño.

Alumno B

Películas del oeste	La acción tiene lugar en el lejano oeste; pistolas, polvo, carrozas e indios son los protagonistas.
Películas de ciencia ficción	Con este tipo de películas nos trasladamos a mundos desconocidos y a través de efectos especiales, maquillaje, iluminación, etc., podemos vivir experiencias "virtuales".
Películas cómicas	Dicen que todas las personas deberíamos reír varias veces a lo largo del día para evitar enfermedades y alargar nuestras vidas. Este tipo de películas seguro que te ayudarán.
Películas bélicas	Muestran conflictos entre varios países, normalmente reflejo de algún acontecimiento histórico, donde los protagonistas suelen ser las armas.
Películas románticas	Cupido invade con sus flechas toda la pantalla.

Películas de acción: Si lo que quieres es no dormirte mientras ves una película, éste es tu género, pues entre tantas persecuciones, tiroteos, peleas, explosiones, robos o asaltos, imposible quedarse dormido.
Películas biográficas: Si te interesa ver la vida de una persona a la que admiras en la gran pantalla, consulta qué películas de este género aparecen en cartelera.
Películas históricas: Si prefieres recrearte con las imágenes en lugar de leer, te aconsejamos que vayas a ver una película de este género. Eso sí, asegúrate que se ajusta a la realidad.
Películas policiales: La mano de la ley siempre acaba atrapando al malo y metiéndolo entre barrotes.

Ejercicio 4.2

Todo sobre mi madre, de Pedro Almodóvar. Le gusta porque es una película redonda, con un ritmo vivo que te mantiene atento constantemente. Además, música, sonido, fotografía, etc., están perfectamente entrelazados.

Ejercicio 7.1

1. E.T. / 2. Terminator. / 3. Agente 007. / 4. Taxi driver.

Unidad 7: Los viajes

Ejercicio 1

PEDIR CONSEJOS:
- ¿Qué te parece?
- ¿Qué me aconsejas tú?

DAR CONSEJOS:
- Yo en tu lugar/Yo que tú + condicional.
- Te recomiendo que/Te aconsejo que + subjuntivo.

Ejercicio 7.2

1. ¿Qué quiere el cliente?
   Reservar una habitación.
2. ¿Cómo lo pide?
   ¿Tienen habitaciones?
   Quería/Quisiera reservar una habitación...
   Quería/Quisiera hacer una reserva para...
3. ¿Qué pregunta el empleado del hotel?
   ¿Individual o doble?
   ¿A qué nombre hago la reserva?
   ¿Puede deletrear?
   ¿A qué hora van a llegar?
   ¿A nombre de quién? ¿Me da su nombre, por favor?
   El número de su tarjeta de crédito...
4. ¿Es un diálogo formal o informal? ¿Por qué?
   Formal. Por la situación, utilizan la fórmula de cortesía usted.

Unidad 8: Los medios de comunicación

Ejercicio 1.2. Medios de comunicación del mundo hispano:

Prensa:
www.abc.es (España) – www.elmundo.es (España) – www.elpais.es (España) – www.clarin.com (Argentina) – www.elcolombiano.com (Colombia) – www.elcomercio.com (Perú).

Televisión:
www.rtve.es (España) – www.antena3tv.com (España) – www.telecinco.es (España) – www.chilevision.cl (Chile) – www.colorvision.com.do (República Dominicana)

Radio:
www.rtve/rne/web/index.php (España) – www.cadena100.es (España) – www.cre.com.ec (Ecuador) – www.lamegaestacion.com (Venezuela) – www.fmdelsol.com (Uruguay)

Ejercicio 2.1

- *El País:* periódico (noticias del día) – diario.
- *Cocina fácil*: revista de cocina (recetas de cocina, artículos relacionados con la alimentación) – mensual.
- *Negocios:* periódico financiero (información sobre mercado, finanzas, la Bolsa...) – diario.
- *Hola*: revista del corazón (artículos sobre la vida de los famosos) – semanal.
- *Goles:* periódico deportivo (noticias deportivas del día) – diario.
- *Segunda mano:* periódico de anuncios (anuncios para vender o comprar algo, ofertas de empleo) – semanal.
- *Superese:* cómic.

- Periódico gratuito: noticias del día – diario.
- Revista de moda: artículos sobre moda, tendencias, patrones... – mensual.
- Revista de decoración: reportajes, ideas y consejos sobre decoración... – mensual.
- Revista de literatura: artículos sobre libros, entrevistas con escritores, reseñas – mensual.
- Revista de cine: reportajes sobre películas, cartelera, entrevistas con actores, directores... – mensual.
- Revista de la tele: programa semanal de los canales – semanal.

Ejercicio 3.1
Alumno A
Internacional: Elecciones generales en Chile.
Nacional: El presidente promete menos impuestos.
Sociedad: ¿Cuánto costará mantener a nuestros abuelos?
Deportes: Hoy la final de la Copa del Rey.

Alumno B
Economía: La moda española arrasa en los mercados internacionales.
Cultura: Lista la nueva sala del Museo Picasso.
Espectáculos: Se abre hoy la temporada de ópera.
Sucesos: Detenido un joven por pirata informático

Ejercicio 3.2
Local: recoge información referida a la localidad o área de mayor influencia del periódico.
Ciencias: recoge información sobre investigación y temas científicos, últimos descubrimientos...
Opinión: diferentes opiniones sobre temas de actualidad, desde colaboraciones periodísticas destacadas (políticos, figuras importantes de otros campos...) hasta la opinión o criterio del propio lector en las "cartas al director".
El tiempo: información meteorológica.
Gente y televisión: programación del día, personajes televisivos...
Ocio: información sobre cines, teatros, exposiciones y otras actividades de tiempo libre.

Ejercicio 5
Una pareja incendia su negocio para cobrar el seguro
Qué: incendio de tres negocios.
Quién: una pareja con antecedentes penales, propietarios de uno de los negocios.
Cuándo: 5 de noviembre.
Por qué: para cobrar el seguro y vengarse de los vecinos que los habían denunciado.
Dónde: en la capital (Madrid).

Un grupo de científicos halla la "Pompeya del Este" en la isla indonesia de Sumbawa
Qué: hallazgo de una ciudad sepultada.
Quién: un grupo de científicos de varios países.
Cuándo: hace dos años.
Por qué: para investigar (se deduce del texto).
Donde: en Sumbawa (Indonesia).

Ejercicio 7.2
Telenovela: novela filmada y grabada para ser emitida por capítulos por la televisión.
Concurso: competición, prueba entre varios candidatos para conseguir un premio.
Debate: discusión, tertulia sobre un tema determinado.

Ejercicio 9.1
Historieta 1
1-G, 2-B, 3-F, 4-C, 5-D, 6-H, 7-A, 8-E.
Historieta 2
1-K, 2-L, 3-J, 4-I, 5-M, 6-N.

Unidad 9: Nuestro tiempo libre

Ejercicio 2.2
- Frecuencia: Tres o más veces por semana.
- Deportes escogidos: Natación, fútbol, ciclismo y gimnasia de mantenimiento.
- Por qué los practican: Por cuestiones de salud, para estar en forma, para ocupar el tiempo de ocio y para conocer gente y hacer nuevas amistades.
- Infraestructuras deportivas: Varían según la ciudad de que se trate. Encontramos buenas instalaciones en Barcelona, San Sebastián y Vitoria. En general, obtuvieron una nota final de bien.

Ejercicio 3.1
- Qué actividad puede "sustituir" el gimnasio.– Bailar.
- Qué beneficios puede aportar esta actividad.– Mejora las condiciones físicas y psíquicas.
- Sensaciones que experimentan las personas que la practican.– Se sienten más relajadas y más optimistas.

Ejercicio 4.1
- ¿Sabes qué es la "salsa"?– Música de origen cubano que se toca en frases de dos compases de cuatro golpes cada uno. Se toca en un tambor llamado conga. Otra característica es la velocidad de la música.
- ¿Cuál es el baile más famoso de Argentina?– El tango.
- ¿Qué es el "top manta"?– Mostrar CDs y DVDs en la calle sobre una manta para venderlos más baratos.
- ¿Qué significa que un disco es "pirata"?– Se trata de una copia realizada sin el consentimiento del autor.

Unidad 10: ¿Vamos a picar algo?

Ejercicio 1
1. Sus ingredientes principales son el arroz... – paella.
2. Es pescado que no se cocina al fuego... – ceviche.
3. Lleva judías blancas y carnes diversas... – fabada
4. Se comen mucho en Chile... – empanadillas.
5. Es una salsa mexicana... – guacamole.
6. El más conocido es el madrileño... – cocido.
7. Es un plato típico de Cuba... – ropa vieja.
8. Es una sopa fría de verduras... – gazpacho.

Ejercicio 2.2
Expresiones para señalar el orden de los pasos:
en primer lugar, primero, luego, al final, por último.

Ejercicio 2.3
Ceviche peruano fácil
Primero se exprimen los limones. Se corta el pescado en cubos y se agrega el jugo de limón, la sal y la pimienta blanca. Luego, picar el chile y mezclarlo con el pescado. Al final, se pica la cebolla y se coloca sobre el pescado. Dejar reposar 15 minutos. Por último, hay que servirlo frío, con el acompañamiento de la batata y el choclo.

Ejercicio 5
1. Comer despacio y masticar bien.
2. Beber alcohol con moderación.
3. Beber agua para saciar la sed.
4. Limitar el consumo de azúcares
5. Comer cantidades menores.

Tarea de evaluación 2

Ejercicio 1
- Llamar la atención... – Perdón. / Perdone. / Oye. / Oiga, señor.
- Pedir información. – ¿Sabes...? / ¿Sabe usted...? / ¿Podría(s) decirme...?
- Pedir disculpas. – ¡Cuánto lo siento! / Perdón. / Mil perdones. / Es que... / Perdone / Lo siento mucho.
- Protestar. – ¡Ya está bien! / ¡Es increíble/inaceptable... (que + subjuntivo)! / ¡No hay derecho! / Esto es una vergüenza. / ¡No puede ser! / Pero, ¿qué dices...?
- Sugerir a alguien una actividad. – ¿Por qué no...? / ¿Te apetece...?
- Concertar una cita. – ¿Quedamos a las... en...? / ¿A qué hora quedamos?
- Comenzar un relato. – Resulta que... / ¿Te acuerdas de...? / Pues el otro día...
- Demostrar que uno tiene razón. – De eso nada. / Ya, pero... / Seguro que sí. / No sé, pero yo creo que...

Ejercicio 2
1. Oiga, señor, que es mi turno.
2. Perdona, es que había mucho tráfico (u otras excusas).
3. Perdone, ¿sabe usted dónde está la calle San Mateo?
4. – Perdone, pero esta es la zona de no fumadores.
   – Es que no había mesa en la de fumadores. Tampoco molesta tanto.
   – Pero, ¿qué dice? ¿No ve qué hay niños?
5. No hay derecho. / Ya está bien. / Esto es una vergüenza. / Es increíble que lleve media hora sin pasar...
6. Pues el otro días estuve en...

Ejercicio 3
Alumno A
1. En la primera imagen son las 7:00 de la mañana. Hay un señor corriendo por un parque.
2. Después son las 8:30 y el señor llega a su casa cansado y sudado.
3. El hombre ha salido de la ducha y se pesa. Entonces se pone muy contento.
4. Más tarde sale de casa.
5. En la calle se encuentra con un amigo, que parece muy sorprendido.
6. El amigo le pregunta qué ha hecho para adelgazar y nuestro protagonista se lo explica:
   – Pero, hombre, ¡qué delgado estás! ¿Cómo lo has hecho?
   – Pues mira, salgo a correr por las mañanas y me he puesto a régimen.
A. En la primera imagen hay una chica que pisa una piel de plátano y se cae.
B. En la segunda, la chica está en el suelo y parece que le duele el pie.
C. Después vemos a la chica en el hospital. Hay un médico atendiéndola.
D. Al final, la chica está en su casa con el pie escayolado. Una amiga ha ido a visitarla:
   – Chica, ¿cómo te lo hiciste?
   – Pues mira, resulta que iba por la calle y, de repente, pisé una piel de plátano. Y claro, me caí...
   – ¡Vaya, qué mala suerte!

Alumno B
1. En la primera imagen vemos a dos personas hablando por teléfono. Parece que el chico quiere ir a una discoteca, pero la chica no quiere ir a bailar, porque prefiere ir a un restaurante.
2. Pero el chico dice que no quiere cenar, probablemente porque no tiene hambre. Entonces la chica sugiere ir a ver una película:
3. El chico parece parece aceptar la propuesta:
   – ¿Por qué no vamos al cine?
   – Vale, ¿a qué hora quedamos?

A. Primero vemos a una chica estudiando en su habitación, con muchos libros.
B. En la segunda imagen hay una clase con muchas personas; parece que están haciendo un examen.

C. En la tercera imagen vemos a la chica abriendo un sobre con las notas de su examen. Hay varias personas y todos parecen muy contentos:
– ¡Qué bien, María! Felicidades.
– Gracias...

Bloque 3

Unidad 11: La sociedad actual

Ejercicio 1.1
Imagen A: 5 (prisas, trabajo, casa... no tenemos tiempo para nada)
Imagen D: 1 (el paro).
Imagen E: 3 (ruido, nervios... de las ciudades).

Ejercicio 1.2
Imagen B: el tráfico.
Imagen C: problemas relacionados con la alimentación.
Imagen F: papel de los teléfonos móviles en la sociedad actual, sobre todo para los jóvenes.

Ejercicio 3.1

Tema	Consejo número
Controle el estrés.	1, 6
Reduzca las basuras.	2, 5
Guarde silencio.	3, 8
Controle lo que consume.	4, 7

Ejercicio 6.1

Medio ambiente	Desigualdad de sexos	Problemas sociales	Ciudad
desechos basura deforestación polución reciclar concienciar desarrollo sostenible carril bicicleta reutilizar sequía abuso	discriminación respeto violencia de género concienciar reparto de tareas cambio de roles compartir responsabilidades	discriminación integración respeto discapacitados concienciar voluntarios precariedad laboral grupos discriminados tercera edad delincuencia	zonas peatonales polución carril bicicleta espacios verdes tráfico carril bus

Ejercicio 8.2
• Artesanía: carpintero, zapatero, joyero.
• Automoción: mecánico.
• Servicios turísticos: animador, cocinero.
• Servicios a la comunidad: asistente social, limpieza, policía, guardia de tráfico, bombero, psicólogo, técnico medioambiental.
• Servicios personales: decorador, peluquero, esteticista, empleado/a de hogar.

Ejercicio 8.3
Alumno A
- Técnico medioambiental: La creciente preocupación por la conservación del entorno natural disparará la demanda de estos expertos.
- Ingeniero de robots: Serán tan numerosos que se necesitarán miles de expertos para diseñarlos, construirlos y repararlos.
- Cirujano de trasplantes: La mayor parte de los órganos que componen el cuerpo humano se podrán remplazar por otros sintéticos o naturales.
- Psicólogo: Descubrirá e informará a su empresa del puesto de trabajo que más le conviene a cada trabajador.

Alumno B
- Informático: Dentro de unos años en España se necesitarán 750.000 más, entre programadores, ingenieros e investigadores.
- Tendero virtual: Una sola persona con un ordenador puede atender a miles de clientes desde Internet. Abierto las 24 horas.
- Experto en turismo: No quedará ningún rincón del planeta sin ser visitado. Le facilitará sus vacaciones incluso en el espacio.
- Traductor: Estará especializado en lenguaje científico, arte, comunicaciones...

Ejercicio 10.2
Leer la transcripción del ejercicio y comparar con las hipótesis que han hecho los alumnos.

Unidad 12: Personas diferentes, culturas diferentes
Ejercicio 1.1

	Razones	Problemas
Ramón	Perfeccionar el inglés, salir de casa y saber cómo se vive fuera de España.	Al principio, bastantes dificultades con el idioma.
Pilar	Beca Erasmus para viajar, conocer otros países, hacer amigos.	El dinero de la beca es muy poco, por eso trabajaba de camarera para ganar algo.
Stefan	Para vivir tras la jubilación, por el clima.	Echan de menos a su familia.
Lidia	Ayudar económicamente a su familia.	Encontrar un trabajo sin papeles y estar solo.
Alba	Por trabajo.	El idioma, la comida, la forma de actuar de la gente.

Ejercicio 2.2
Causa: gracias a, por, porque, puesto que, a causa de, como.
Consecuencia: en consecuencia, por eso, así que, por tanto.

Ejercicio 2.3
1. F; 2. G, D; 3. C; 4. E ; 5. A; 6. B; 7. D, G; 8. H.

Ejercicio 5.2
1- b; 2- b; 3. b

Ejercicio 5.3
1. Fórmulas para ofrecer algo por primera vez: Te llevamos. / ¿Quieres tomar algo? / ¿Te apetece tomar algo?
2. Fórmulas para rechazar un ofrecimiento: No, no hace falta, gracias. / No, de verdad. / No, muchas gracias. / No señora, no se moleste. / No, no de verdad.

3. Fórmulas para repetir un ofrecimiento: Pero si vamos en tu dirección. / Si no es molestia. / No me cuesta nada. / Que sí.
4. Fórmulas para aceptar un ofrecimiento: Ah, bueno, entonces... / Pues si insiste, de acuerdo. / Vale, en ese caso...

Ejercicio 5.5
El intercambio comunicativo no ha tenido éxito. Arturo esperaba que la otra persona insistiera en su ofrecimiento antes de aceptar, pues para él sería una falta de educación aceptar a la primera. En España hubiera ocurrido algo como en los ejemplos que aparecen un poco más arriba.

Unidad 13: Educación

Ejercicio 1.1
A. Aún recuerda aquel primer día con nostalgia. Su maestra era una persona dulce y agradable.
B. Fue un día terrible. Lloró toda la mañana.
C. Empezó con muchas expectativas y muy ilusionada. Pero esa imagen del colegio cambió, debido a los deberes, castigos, exámenes, etc.

Ejercicio 1.2
Inolvidable / Irrepetible / Una decepción / Un desastre / Una experiencia traumática / ¡Qué pasada! / Etcétera.

Ejercicio 2.2
(Respuesta sujeta a las condiciones educativas del país del estudiante.)

Ejercicio 5.2
• Introducción de un tema: en cuanto a.
• Orden y enumeración: en primer lugar..., en segundo lugar; por una parte..., por otra parte; después; por último; finalmente.
• Oposición: pero; sin embargo; en cambio.
• Consecuencia: por lo tanto; por eso.
• Causa: ya que; puesto que.
• Adición/continuar: además; asimismo.

Ejercicio 6.1
• Esperanza: Estudió español gracias a su madre. Desde pequeñita le habló en español, porque consideró que sería muy positivo para ella, era como invertir en su futuro.
• Richard: Gracias a sus conocimientos de español encontró trabajo. Tiene claro que saber idiomas te abre puertas.
• Sonia: Habla español gracias a su abuela, una española que llegó a Brasil huyendo de la Guerra Civil. También tiene claro que saber idiomas puede ayudarla en su futuro profesional.

Unidad 14: Desarrollo tecnológico

Ejercicio 1.1
1. Antes se utilizaban bolígrafos para escribir; ahora la gente utiliza el ordenador.
2. Antes los coches eran más lentos; ahora los coches tiene motores potentísimos y corren mucho.
3. Antes la gente utilizaba la radio para informarse u oír música; ahora la gente prefiere ver la televisión.
4. Antes, para hacer fotografías, utilizaban cámaras muy grandes y sencillas; ahora los fotógrafos usan máquinas muy sofisticadas y complejas.
5. Los primeros aparatos telefónicos eran muy grandes y tenían cable; ahora utilizamos los móviles, que cada vez son más pequeños.

Ejercicio 4.1
Ejemplo: cinta de vídeo.

Ejercicio 6.2
Alumno A
Situación 1. Llavero con localizador incorporado
Situación 2. Muñeca con micrófono en el que puedes grabar un mensaje tuyo y de tu hijo cada día
Situación 3. Bombones personalizados.
Situación 4. Cojín anatómico con dibujos animados.

Alumno B:
Situación 1. Sillón hinchable.
Situación 2. Reproductor de Cd impermeable.
Situación 3. Camiseta doble.
Situación 4. Mini nevera.

Ejercicio 7.1
Hace referencia a la adicción a las nuevas tecnologías, concretamente a Internet y al teléfono móvil.

Ejercicio 7.3
Señora de mediana edad: Es el invento del siglo. Puedes encontrar todo tipo de información.
Chico de unos 20 años: Es un adicto a Internet.
Señor de unos 65 años: Gracias a los ordenadores volvió a tener confianza en sí mismo y encontró trabajo.
Señora de mediana edad: Internet le permite trabajar desde casa y pasar más tiempo con su familia.
Chica de unos 20 años: Internet es una fuente inmensa de información; la mantiene alejada de sus amigos.

Unidad 15: Somos así

Ejercicio 1.1
Alumno A
2. Para comprar tabaco debes tener al menos 18 años.
4. En comparación con Europa, los precios del tabaco en España son baratos.
   ¿Va a subir el precio del tabaco? – No.
   Para vender más, las tabaqueras venden cajetillas a bajo coste.

Alumno B
1. El que decide si en un bar o restaurante se puede fumar es el dueño.
   Para que un bar o restaurante pueda contar con una sala de fumadores, debe tener más de 100 metros cuadrados.
3. La publicidad en los medios de comunicación se prohíbe.
   En los deportes de motor (F 1, motociclismo) pueden retrasarlo tres años.

Ejercicio 1.2
Alumno B
Álvaro Martín, director del Club de Fumadores por la Tolerancia: 2.
Belén y Ahmet, trabajadores de una compañía aérea: 3.
José Martínez Olmos, secretario general de Sanidad: 4.
Felipe, empleado de una consultora: 1.

Ejercicio 4.2
Preguntas alumno B
1. No, el horario español no es similar al europeo.
2. No, no hay homogeneidad en los horarios de las familias españolas.
3. Aumenta el estrés, es causa de accidentes laborales, domésticos y de tráfico.
4. Disposición de más tiempo de ocio y para los amigos y la familia.

Preguntas alumno A
1. El presidente de la Comisión Nacional de Horarios.
2. Hora de almorzar, cenar, ver la televisión.
3. No, no está de acuerdo.

TRANSCRIPCIONES

Unidad 2

Ejercicio 1.1

Diálogo 1
– ¿A que no sabes a quién vi ayer por la calle? ¡A Pedro!
– ¿En serio? Pero ¿no estaba en el extranjero?

Diálogo 2
– Creo que voy a dejar las clases de español. Tengo mucho trabajo...
– ¡Anda ya! Si eres el mejor de la clase...

Diálogo 3
– ¿Por fin hemos encontrado casa!
– ¡Qué bien! ¿Cuándo vamos a verla?

Diálogo 4
– ...y, de repente, llegó Juan con una chica. No puedes imaginar la cara de María cuando se dirigía hacia él.
– ¿Sí? ¿Y qué pasó?

Diálogo 5
– Me ha llamado Lorena para decir que no puede venir esta noche.
– ¡Vaya! ¡Qué pena!

Ejercicio 1.2
1. – ¿A que no sabes quién viene a dar un concierto? ¡¡¡Shakira!!!
   – ¡No me digas! ¿Cuándo?

2. – He estado un mes de vacaciones. Volví ayer...
   – ¡Qué suerte! Y ¿dónde has estado?

3. – Estoy harta de este trabajo. Voy a decirle al jefe que me voy.
   – ¡Venga ya! Siempre dices lo mismo.

4. – Pufff... He suspendido el examen de Historia.
   – ¿De verdad? ¡Qué mal! Lo siento.

Ejercicio 1.3
1. ¿Te acuerdas de Juan y María? Iban a casarse y, unas semanas antes de la boda, se han separado.
2. Me han llamado del trabajo y me han dicho que no puedo irme de vacaciones.

Ejercicio 4.1
• Antes tenía un carácter maravilloso, pero desde que se ha hecho rico se ha vuelto insoportable.
• ¿Jimena? Nació en Colombia, pero el año pasado se hizo española.
• Antes iba todos los miércoles al cine, pero ahora ya no puedo.
• ¿Sabes? Klaus ha dejado de venir a las clases de español.
• Hombre, Ana, ¿qué tal? ¿Sigues viviendo en Madrid?

Unidad 4

Ejercicio 3.1
Entrevistadora: Una mala relación con el tiempo es una de las causas de este problema hoy tan extendido: el estrés. Pero, ¿qué es? Vamos a intentar buscar sus efectos, positivos y negativos, y hallar soluciones. Para ello contamos con la ayuda del doctor José Martínez.

Doctor: Buenas tardes.

Entrevistadora: El estrés en vida, dicen unos, nos permite mantener el equilibrio frente a los acontecimientos. El estrés es muy perjudicial, dicen otros. ¿Quién se equivoca?

Doctor: Ninguno. Es ambas cosas. Pero, para mí, lo preocupante es que esta palabra se utiliza como reclamo publicitario para gran cantidad de fármacos de acción poco comprobada o para vender artilugios como almohadas antiestrés, plantillas relajantes, ambientadores reductores del estrés, etc Por lo que el término ha acabado convirtiéndose en sinónimo de prisa, fatiga o nerviosismo.

Entrevistadora: Hay personas que consideran que estrés y ansiedad son términos prácticamente sinónimos. Usted, ¿qué piensa?

Doctor: Son dos términos muy cercanos. El estrés es un proceso de adaptación con tres fases. Una de alarma: el individuo, ante una nueva situación, pone en marcha los mecanismos psicológicos y fisiológicos para adaptarse; otra de resistencia, si la causa que genera estrés persiste; y una última de agotamiento, si se mantiene. Es en esta última fase donde puede surgir la ansiedad como emoción ante alguna amenaza.

Entrevistadora: ¿Qué otras emociones puede manifestar el estrés?

Doctor: El estrés asociado al cansancio puede producir emociones como alegría, enfado o tristeza.

Entrevistadora: ¿A qué cree que se debe el aumento de casos de estrés?

Doctor: Hay varias hipótesis sobre el aumento de estrés. Algunas tienen que ver con los estilos de vida, porque cada vez se nos exige ser más competitivos. Otros piensan que lo que falla es la capacidad de resistencia del individuo.

Entrevistadora: ¿En quién repercute más?

Doctor: El estrés no hace distinción de sexos. Afecta tanto a hombres como a mujeres.

Entrevistadora: ¿Qué síntomas nos indican que están apareciendo las características negativas del estrés?

Doctor: Cuando notemos que tenemos problemas de concentración, preocupaciones anticipadas, taquicardias, problemas de sueño y sexuales, dolores de cabeza, etc.

Entrevistadora: ¿Y cuándo es realmente preocupante?

Doctor: Cuando no busquemos una solución médica y recurramos al alcohol, tabaco o alimentos tranquilizantes o estimulantes, que a la larga son muy perjudiciales. Por ello, mi consejo es: cuando se sienta desbordado, busque remedio.

Entrevistadora: Es decir, si nos levantamos cansados, nos cuesta enfrentarnos al trabajo o tenemos cambios emocionales, ¿qué hacemos?

Doctor: En primer lugar, plantearnos que tenemos un problema y buscar solución. En algunos casos necesitaremos ayuda psicológica, para aprender a solucionar problemas y no verlo todo negativo. Pero lo más importante es entender que el estrés somos nosotros. Pensar que se debe exclusivamente a factores externos y rehuirlo no soluciona el problema, sino que nos conduce a él. El secreto es cambiar de actitud.

Entrevistadora: Muchas gracias doctor. Y ustedes, queridos radioyentes, ¿tienen estrés?

Unidad 5

Ejercicio 1.1

Diálogo número 1
– ¡Qué bien! El próximo lunes es fiesta.

Diálogo número 2
– ¿Qué haces este fin de semana?
– No sé. Me quedaré en casa estudiando para el examen del miércoles

Diálogo número 3
– Dentro de una semana es mi cumpleaños y quiero hacer una fiesta. ¿Me ayudas a organizarla?

Diálogo número 4
– Mañana vamos al cine. ¿Te vienes?

Diálogo número 5
– ¿Vas a venir el martes que viene a la cena de María?
– Puff, no sé, no me apetece mucho, pero iré

Diálogo número 6
– Pasado mañana pienso estar todo el día en casa sin hacer nada. ¿Y tú?

Diálogo número 7
– La próxima semana vamos a salir con Jaime. ¿Te apetece venir?

Ejercicio 5.1
Diálogo 1
– ¿Te vienes a ver la última "peli" de Almodóvar?
– Puff, no tengo muchas ganas...
– Venga, que vamos a ir todos.
– Bueno, ya veremos.

Diálogo 2
– ¿Y si vamos a la fiesta de Luis?
– Bueno, vale, ¿a qué hora es?

Diálogo 3
– ¿Te apetece que vayamos de excursión el domingo?
– No, no puedo, es que ya he quedado.
– Vaya, pues otra vez será.

Tarea de evaluación 1

Ejercicio 3
Diálogo 1
– Pues me dijeron que fueron de fin de semana a... ¿cómo se llamaba ese pueblo tan bonito donde estuvimos con tus padres?
– ¿Medinaceli?
– Sí, hombre, Medinaceli. Les encantó.

Diálogo 2
– Oye, ¿me das eso que sirve para abrir las botellas?
– ¿El sacacorchos?
– Sí, eso. ¡Gracias!

Diálogo 3
– ...y tuvimos que llamar al señor que hizo los muebles.
– ¿Al ebanista?
– Sí, eso es.

Bloque 2

Unidad 6

Ejercicio 1.1
• ¡Fue fantástico! Tenía 10 años y mis padres me llevaron a ver una película de dibujos animados. El sonido, la imagen, los colores... Fue una experiencia inolvidable. Creo que ahí empezó mi amor por el cine.
• Han pasado muchísimos años, pero todavía recuerdo que salí de la sala enamorada del protagonista, y eso que entonces las películas eran en blanco y negro.
• ¡Una decepción! No sé si fue la película o la sala, que no tenía las condiciones adecuadas, pero a mí no me conquistó la magia del cine. No me gustan demasiado las películas comerciales, prefiero que tengan cierto aire experimental.

Ejercicio 4.1

Mira, a mí me impresionó mucho una película de Almodóvar. La podríamos definir como un drama disparatado, barroco y con personajes extremos. A pesar de que ya hace algunos años que la vi, aún recuerdo perfectamente el argumento. La protagonista, que se llamaba Manuela, destrozada por la muerte de su hijo Esteban, viaja de Madrid a Barcelona en busca del padre del niño, un travesti llamado Lola. Allí se reencuentra con Agrado, otro travesti, amigo de la juventud. A través de Agrado, Manuela conoce a la hermana Rosa, religiosa embarazada de Lola. Estas tres mujeres, junto a Huma Rojo (actriz de teatro a la que Manuela y su hijo esperaban la noche en que éste murió), entablan una solidaria amistad, y sus conversaciones son el cauce por el que el director consigue adentrarnos en el complejo universo femenino. El destino les tiene preparados distintos caminos: el éxito profesional acompaña a Huma, menos afortunada en lo sentimental; Agrado abandona la prostitución, incorporándose a la compañía teatral de Huma; la hermana Rosa muere durante el parto y Manuela se convierte así en la madre del niño, abriendo una puerta a la esperanza.

Creo que es una película redonda, con un ritmo vivo que te mantiene constantemente atento a la acción. Además, música, sonido, fotografía, etc., están perfectamente entrelazados.

En resumidas cuentas, una película que vale la pena ver.

Unidad 7

Ejercicio 1.1

A. Buenos días. ¿Qué, pensando ya en las vacaciones?
B. Sí, pasé ayer por una agencia de viajes y cogí estos folletos. ¿Qué te parece?
A. A ver... México, Cuba, Perú... Mmm, yo en tu lugar iría a Cuba: sol, playa, música...
B. Sí, a mí también me apetece. ¿Qué me aconsejas tú, Vicente?
C. Pues yo te recomiendo que vayas a México. Estuve hace unos años y me encantó. Lo tiene todo: playas y sitios arqueológicos impresionantes.
B. Sí, México también me gusta mucho. No sé qué hacer...
A. Yo que tú no me lo pensaría: Cuba es lo mejor.
C. Hombre, depende. Si buscas vacaciones tranquilas, para descansar en la playa, elegiría Cuba. Pero como sé que te interesa la arqueología, te aconsejo que elijas México o Perú.

Ejercicio 7.2

Diálogo 1
– Hotel Alcalá. Buenas tardes.
– Hola, buenas tardes. ¿Tienen habitaciones para hoy?
– Un momento, por favor... Sí, tenemos habitaciones libres.
– Quería una para dos noches.
– ¿Individual o doble?
– Doble.
– ¿A qué nombre hago la reserva?
– Guerricagoitia.
– ¿Puede deletrear?
– Sí, claro, G U E R R I C A G O I T I A.
– Muy bien, señor. ¿A qué hora van a llegar?
– Tarde, sobre las 11 de la noche.
– Muy bien. Muchas gracias.
– Gracias. Adiós.

Diálogo 2
– Hotel Sancho. Dígame.
– Buenas tardes. Quisiera reservar una habitación individual para el 15 de abril.
– Lo siento, señor. Sólo se pueden hacer reservas de 9 a 15. ¿Puede llamar mañana?
– Sí, claro.

– Muchas gracias.
– De nada. Adiós.

Diálogo 3
– Hotel Pelayo. Dígame.
– Buenos días, quisiera hacer una reserva para este fin de semana. Una individual.
– Muy bien. ¿A nombre de quién?
– Antonio López. ¿Me podría decir cuál es el precio?
– 30 euros la noche.
– Ajá, ¿el desayuno está incluido?
– Sí, señor. Necesito el número de su tarjeta de crédito para hacer la reserva.
– Vale, es el 3478 8790 5674.
– Muy bien, muchas gracias.
– A usted, adiós.

Diálogo 4
– Hotel Hércules. Dígame.
– Buenas. ¿Tienen habitaciones libres para los días 24 y 25?
– Un momento..., sí, señora.
– Muy bien, quería reservar una doble..., de las que tienen vistas al mar.
– ¡Ay!, lo siento, pero todas las habitaciones con vistas están ocupadas.
– ¡Vaya!, bueno, otra vez será.
– Muy bien, ¿me da su nombre, por favor?

Unidad 9

Ejercicio 1.1
• A mí me apetecería ir a un espectáculo musical este fin de semana. Hace muchísimo tiempo que no voy.
• Pues yo preferiría pasar el fin de semana fuera de la ciudad y el ruido.
• En cambio, a mí me gustaría quedar con la pandilla e ir de copas por ese barrio que siempre está tan animado.
• Yo, después de estar encerrado toda la semana en el despacho, voy a salir a correr un poco.

Ejercicio 2.2
Uno de cada dos españoles asegura hacer deporte tres o más veces por semana y la mitad de quienes lo practican utilizan instalaciones deportivas de titularidad pública, según datos recientemente publicados por el Centro de Investigaciones Sociológicas (CIS), que revelan que natación (más de una de cada tres personas que hace deporte asegura nadar cotidianamente), fútbol (32%), ciclismo (20%) y gimnasia de mantenimiento (14%) son los deportes que cuentan con más seguidores en nuestro país. Es sabido que, con el discurrir de los años, el deporte se ha convertido en una de las actividades sociales con mayor arraigo entre nosotros; no en vano, el ejercicio físico se vincula cada vez más a la salud y mantenerse en forma, además de que constituye una amena alternativa para ocupar el tiempo de ocio y un eficaz resorte para conocer gente y hacer nuevas amistades.

Según un estudio realizado por el centro anteriormente citado, el despliegue de infraestructuras deportivas de titularidad pública es muy distinto según la ciudad de que se trate. Sólo Barcelona y San Sebastián y, ya a cierta distancia de estas dos ciudades, Vitoria, ofrecen un despliegue suficiente y equilibrado de los equipamientos deportivos incluidos en el estudio: polideportivos, piscinas, gimnasios, pistas de atletismo, campos de fútbol, canchas de baloncesto, frontones, pistas de squash, paddle y tenis, y canchas polivalentes.

Tras la visita a 144 instalaciones deportivas de diferentes ciudades españolas, el 7% de estas instalaciones obtienen como nota final un suspenso y el 15% se queda en un mediocre "aceptable", lo que significa que más de dos de cada diez tienen un amplio margen de mejora. Viéndolo desde el enfoque más optimista, casi la mitad son muy buenas o excelentes. Con una valoración más discreta, pero también satisfactoria, el 30% de las instalaciones deportivas visitadas obtuvieron una nota final de "bien".

El apartado con peor nota global fue la información facilitada a los usuarios, pues no se exponían los precios y tarifas de los servicios ofrecidos y en muchos caso no se informaba sobre las normas generales de uso de las instalaciones. Lo mejor fue la seguridad de los edificios y equipamientos y su estado de mantenimiento y limpieza.

También hay que comentar positivamente la accesibilidad para discapacitados, pues sólo en una de cada diez instalaciones deportivas visitadas la accesibilidad fue globalmente deficiente.

Ejercicio 3.1

¿La gimnasia o la práctica de un deporte te parecen una tortura? Pues... tenemos la solución: BAILA. ¿Sabías que bailar mejora las condiciones físicas y psíquicas de la persona que baila regularmente? Pues sí, el baile nos ayuda a que la mente y el cuerpo estén ocupados en la misma actividad, a estar en forma y también a PERDER PESO.

Las personas que practican alguna actividad física suelen tener menos problemas de salud, se sienten más relajadas y son más optimistas. Entonces, ¿por qué no escoger la actividad de bailar para mantenerse en forma de manera agradable?

Si crees, como nosotros, que ésta es la solución ideal, te esperamos en nuestro salón de baile. Tenemos numerosos grupos de personas que, gracias a que han incorporado el ritmo en su vida, hoy se sienten más a gusto, más relajadas y llenas de vitalidad. ¡Haz tu vida más atractiva! ¡Introduce el ritmo en tu vida!

Ejercicio 6.1

A. A ver... el teléfono es... 914531325.
B. Buenas tardes. Dígame

A. Buenas tardes. Querría reservar cinco entradas para la obra *Canto general*.
B. Muy bien. ¿Para qué día y sesión?

A. Para el jueves a las 9 de la tarde.
B. Lo siento, pero este jueves por cuestiones técnicas no va a haber función.

A. ¿Y el viernes?
B. Sí, todavía nos quedan algunas entradas disponibles. ¿A qué nombre las reservo?

A. Al de María González. ¿Cuánto cuesta cada entrada?
B. ¿Son ustedes estudiantes?

A. Algunos de nosotros, sí.
B. La entrada normal cuesta 20 euros y la estudiantil, 15 euros.

A. ¿Cuándo tenemos que recoger las entradas?
B. Pueden recogerlas media hora antes de que empiece la sesión.

A. Muchas gracias.
B. A ustedes.

Tarea de evaluación 2

Ejercicio 1
Diálogo 1
– Perdone, ¿tiene hora?
– Sí, son las cinco en punto.

Diálogo 2
– Oiga, se equivoca, este paraguas es mío.
– ¿Está usted seguro?
– Sí, sí, claro.
– Pues perdone, lo siento mucho.

Diálogo 3
– ¡Señor, señor! ¡Cuidado!
– Uy, casi me caigo. Esto es una vergüenza, otra vez en obras. ¿Es que nunca van a terminar en esta ciudad?
– Tiene usted razón, no puede ser.

Diálogo 4
– ¿Te apetece ir a la playa mañana?
– Bueno, vale. ¿A qué hora quedamos?

Diálogo 5
– ¿Te acuerdas de Juana?
– Pues el otro día me la encontré en el autobús y me contó que ya no trabaja.

Diálogo 6
– Oye, Marina y tú tenéis la misma edad, ¿no?
– Pero, ¿qué dices...? Yo soy diez años más joven.

Bloque 3

Unidad 11

Ejercicio 1.1

1. Hombre, lo peor es el paro, claro, no hay trabajo para todos. Especialmente los jóvenes y las mujeres tienen muchos problemas para encontrar un puesto de trabajo... y bueno, eso provoca problemas muy serios.
2. Yo tengo 33 años y todavía vivo en casa de mis padres, ¿por qué? Porque es muy difícil comprar una casa, son carísimas, es casi imposible. Y así, pues no te puedes independizar, formar una familia...
3. Un problema que me preocupa..., bueno, yo me crié en un pueblo, pero ahora estudio aquí y de verdad que no comprendo cómo la gente puede soportar esta forma de vida..., tantos coches, tanto ruido, tantos nervios, tanta gente... Yo, en cuanto pueda, me vuelvo a mi pueblo.
4. El problema más grave para los jóvenes es la inestabilidad laboral. Los trabajos no son seguros, te hacen contratos de seis meses, de un año... Y los sueldos son bastante bajos. Es muy decepcionante: terminas la universidad, haces un máster, estudias idiomas... y luego encuentras un trabajo inestable y mal pagado.
5. El problema principal de nuestra época es que no tenemos tiempo para nada, estamos todo el día corriendo, con prisas..., el trabajo, la casa... Nadie tiene tiempo libre, ni los niños ni los adultos, es terrible.

Ejercicio 10.2

De acuerdo con estudios recientes, dentro de medio siglo habrán desaparecido la mayoría de las profesiones y oficios que ahora conocemos. Algunos se preguntarán: ¿cómo es posible? Pues sí, y si no se lo creen, escuchen esto.

El tráfico estará controlado por vía satélite y robots, así que adiós a los guardias. Siguiendo con el transporte, un cerebro artificial controlará y guiará los movimientos de los trenes; ¿para qué necesitaremos entonces un conductor de trenes?

Por otra parte, los nuevos ordenadores reconocerán la voz y harán el trabajo de los taquígrafos y las secretarias.

También dejaremos de ver agricultores, ya que serán sustituidos por máquinas y robots diferentes que se encargarán de todas las tareas. El agricultor será el gestor.

Los geógrafos tampoco tendrán trabajo: el ojo humano no es tan preciso como los satélites y trasbordadores espaciales que realizarán los mapas.

Unidad 12

Ejercicio 1.1

Vamos a escuchar los testimonios de algunas personas que por muy diferentes razones un día salieron de su país. En busca de aventuras, de una vida mejor, de adquirir experiencia, todos ellos dejaron atrás familia, amigos y raíces. Hoy nos han contado por qué lo hicieron y qué dificultades encontraron en el camino.

Ramón: Yo pedí una beca Erasmus para estudiar en el extranjero; quería sobre todo perfeccionar mi inglés, por eso elegí Irlanda. Bueno, y también quería salir de casa y conocer cómo se vive fuera de España.

Periodista: ¿Tuviste algún problema?

Ramón: Al principio tuve bastantes dificultades con el idioma. Vivía con un alemán y un polaco, y hablar todo el día en inglés me resultaba muy cansado, pero me ayudó mucho y enseguida noté cómo mi inglés mejoraba.

Pilar: El programa Erasmus me dio la oportunidad de viajar y conocer otros países, también de hacer muchos nuevos amigos. En Bruselas estás en el corazón de Europa; los fines de semana alquilaba un coche con algunos compañeros y así he conocido, además de Bélgica, Francia, Holanda, Alemania…

Periodista: ¿Qué problemas recuerdas?

Pilar: Todos los Erasmus tenemos el mismo problema: el dinero de la beca es muy poco y no llega para nada. Por eso yo trabajaba de camarera para ganar algo.

Stefan: Mi mujer y yo habíamos decidido que, tras la jubilación, vendríamos a vivir a España y ahorramos durante años para comprar un apartamento. ¿Por qué elegimos España? Por el clima. Nos sienta muy bien.

Periodista: ¿Qué dificultades tuvieron?

Stefan: Echamos de menos a nuestros hijos, aunque vienen a visitarnos a menudo. Los veranos los pasan aquí con los niños. La verdad es que aquí hay una numerosa colonia de jubilados alemanes, así que tenemos amigos.

Lidia: La situación económica en mi país no es buena, ya sabes. Tomé la decisión de venir para ayudar a mi familia. Trabajo limpiando casas y cada mes les envío dinero para que mis hermanos puedan ir a la escuela y para que construyan una casa mayor.

Periodista: No todo fue fácil, ¿verdad?

Lidia: No. Encontrar un trabajo sin papeles es muy difícil, tienes que tener cuidado con la policía, algunas personas te engañan… Pero lo peor es estar solo… Hasta que hice amigos lo pasé muy mal.

Alba: Yo trabajo en una multinacional; tuve que trasladarme a Seúl y vivir allí cinco años. Fue una gran oportunidad para mi carrera profesional y volvería a hacerlo; todo lo que aprendí y viví allí no lo cambio por nada.

Periodista: ¿Tuviste algún problema?

Alba: Claro, muchos. Primero con el idioma, el coreano es muy difícil. También me costó mucho acostumbrarme a la comida, que es muy diferente de la mediterránea. Y por supuesto, a la forma de actuar de la gente, de trabajar, de hablar… Sin embargo, aprendí muchas cosas y, sobre todo, mi mentalidad ha cambiado mucho; ahora soy más abierta, he aprendido que hay otras formas de ver la vida y de hacer las cosas.

Ejercicio 5.1

Diálogo 1
Marisol y Aurora salen del trabajo; el marido de Aurora ha ido a buscarla en coche.
A. ¿Vas a casa? Te llevamos.
M. No, no hace falta, gracias.
A. Anda, mujer.
M. No, de verdad, que en metro es un momento.
A. Pero si vamos en tu dirección…
M. Ah, bueno, entonces…

Diálogo 2
Doña Margarita ha decidido pintar el salón de su casa. Cuando el pintor llega y comienza a trabajar, Doña Margarita le ofrece algo.
M. ¿Quiere usted tomar algo?
P. No, señora, muchas gracias.
M. Hombre, un cafecito…
P. No, señora, no se moleste.
M. Si no es molestia, hombre, no me cuesta nada.
P. Bueno, pues si insiste, de acuerdo.

Diálogo 3
Carmen da clases particulares de inglés. Hoy empieza con un alumno nuevo y cuando llega a casa, tiene el siguiente diálogo con la madre del niño:
M. Hola, Carmen, pasa, las clases las daréis aquí.
C. Muy bien, perfecto.
M. ¿Te apetece tomar algo?
C. Nada, muchas gracias.
M. Que sí, mujer, un zumo, un café…
C. No, no, de verdad.
M. Pero si le voy a hacer un zumo al niño, no me cuesta nada.
C. Vale, en ese caso, un cafecito.

Unidad 13

Ejercicio 1.1
Mi primer día en la escuela

A. ¡Qué tiempos aquellos ! Han pasado ya muchos años, pero aún recuerdo que la noche anterior no pude dormir pensando en como sería. Me imaginaba un señor muy severo y con un bastón en la mano para pegarnos si no nos portábamos bien. Imagínese, me habían dicho que los maestros castigaban y daban palos para mostrar su autoridad. En cambio, me encontré con una señora muy dulce y agradable que adoraba a sus alumnos. Fue ella la que me hizo amar la profesión de maestro y por eso yo también decidí dedicarme a la enseñanza.

B. Mi primer día: te-rri-ble. Sólo recuerdo que mi madre me llevó a la puerta del colegio para que una señora me llevara a mi clase. Empecé a llorar y a gritar que no quería ir. Mi madre, al verme en aquel estado, se puso también a llorar. No sé quién lloró al final más, mi madre o yo. Una situación comicotrágica.

C. Era la mas pequeña de todos mis hermanos y la única que, por cuestiones de salud, no había comenzado todavía la escuela, por lo que lo esperaba con impaciencia. Tenía muchísimas ganas de empezar y ser como mis otros hermanos. Mis padres me compraron una cartera nueva, lápices, me dieron dinero para el desayuno, pues ya era grande para poder administrar mi paga semanal. Así empezó el primer día, con muchas expectativas e ilusiones; después vinieron los deberes, los castigos, los exámenes, etc., y dejó de ser una imagen idílica.

Ejercicio 2.1
1. Para mí la educación es esencial, creo que te abre o cierra puertas en el mundo actual. Gracias a ella, las mujeres ya podemos acceder a cualquier puesto de trabajo.
2. Me parece injusto y absurdo dejar que toda la educación de nuestros hijos corra a cargo de la escuela, y echarle la culpa de su éxito o fracaso. Nosotros debemos encargarnos de la educación de nuestros hijos en primer lugar.
3. Pues yo creo que todo el mundo, independientemente de su condición social, debe tener acceso y derecho a la educación. No me parece justo que sólo ciertas personas puedan estudiar.

Ejercicio 6.1
Esperanza: Hablo español porque mi madre lo vio como una inversión. Mi madre Beata, con 22 años, fue de vacaciones a Málaga. Le gustó tanto que decidió quedarse unos meses, que acabaron convirtiéndose en varios años. Finalmente tuvo que volver a su país, Polonia, pero el castellano lo llevaba en el corazón y no quería "abandonarlo". Por eso, cuando nací yo, decidió que me hablaría en español; todos sus amigos le decían que lo hablaba casi como una nativa. Y así lo hizo, lo combinó con frecuentes viajes a España y hoy, con tan solo12 años, hablo perfectamente polaco y español.

Richard: Comencé a estudiar español en el colegio, pero sin demasiado interés. Viendo que los trabajos que a mí me interesaban solicitaban un buen conocimiento de la lengua española, me fui unos meses a México para perfeccionarlo. Gracias a esa estancia, mejoró mi nivel y pude encontrar trabajo; ahora tengo claro que saber idiomas abre puertas y es riqueza en bruto.

Sonia: Mi abuela fue una española que acabó en Brasil huyendo de la Guerra Civil. Nos transmitió el amor por su patria y por su lengua a mi madre y a mí. Aún recuerdo las canciones y los cuentos que me contaba antes de irme a dormir. Gracias a ella, ahora, a mis 18 años, puedo comunicarme sin ninguna dificultad tanto en brasileño como en español. Además, creo que saber idiomas me puede ayudar muchísimo en el futuro.

Unidad 14

Ejercicio 3.1
Mujer: Yo no podría vivir sin mi coche. Vivo en una casa a las afueras de la ciudad y no tengo otro medio para poder ir a mi trabajo.
Hombre: La tarjeta de crédito ha facilitado mi vida, ya no necesito pensar si llevo suficiente dinero encima.
Mujer: No sé qué haría sin mi teléfono móvil. Gracias a él puedo hablar con todo el mundo a cualquier hora y en cualquier sitio.
Hombre: El microscopio forma parte de mi vida, sin él no podría ni trabajar ni realizar mis investigaciones.

Ejercicio 7.1
Presentadora: Últimamente estamos oyendo términos como ciberadicción o tecnoadictos con bastante frecuencia y es que, para bien o para mal, las nuevas tecnologías han entrado y "se han quedado" en nuestras vidas. Algunas personas consideran que el ordenador o el teléfono móvil son objetos imprescindibles y que no podrían vivir sin ellos.

Veamos el fenómeno Internet. Navegar por la red ha dejado de ser parte de un trabajo o una forma de pasar el tiempo libre para convertirse en una necesidad. El usuario necesita conectarse; si no, sufre síndrome de abstinencia. Muchos se preguntan qué tiene la Red que engancha tan fácilmente. Algunos expertos señalan que el éxito radica en la posibilidad de acceder a gran cantidad de información, en la rapidez, en la variedad...; parece que todo está disponible en la Red.

Otra "plaga", el teléfono móvil. Si preguntáramos a un joven español qué necesita para salir, seguramente nos contestaría: el móvil, la cartera y las llaves. Y es que el teléfono móvil se ha convertido en una extensión de la mano. Muchas veces nos cuestionamos cómo vivíamos cuando no teníamos móvil, pues sin él nos sentimos perdidos y aislados. Se ha convertido en nuestro fiel compañero, en nuestra agenda... en parte de nosotros mismos.

Bueno, sobre estos temas y muchos más vamos a hablar hoy con nuestros invitados. El profesor...

Ejercicio 7.3
Señora de mediana edad: Para mí Internet es el descubrimiento del siglo. En Internet puedes encontrar información de todo tipo, gracias a los innumerables buscadores. Puedes también llamar a tus amigos a precios mucho más asequibles y ahorrarte colas y trámites, simplemente gracias a unas teclas.

Chico de unos 20 años: Internet me ha cambiado la vida. Estoy enganchado a la pantalla desde que me levanto hasta que me acuesto de madrugada. No puedo vivir sin Internet y sin chatear, para mí es esencial, como comer o dormir.

Señor de unos 65 años: Por supuesto que me ha cambiado la vida. A los 60 años me despidieron de mi empresa, y quién me iba a contratar a esa edad. Mi hija me aconsejó que me matriculara en un curso de informática y así lo hice. Entonces los ordenadores me daban pánico, ahora los adoro; gracias a ellos volví a tener confianza en mí mismo y a ser "útil" profesionalmente. La edad no debe ser un impedimento al desarrollo.

Señora de mediana edad: Gracias a Internet he podido combinar trabajo y familia. Tengo un trabajo en casa que me permite estar con mi hija y no tener que pedirle favores a nadie cuando no puede ir al cole porque está enferma o pedir a alguien que vaya a buscarla porque voy a salir más tarde del trabajo.

Chica de unos 20 años: Me paso horas y horas delante de la pantalla. Me informo de todo lo que pasa en el mundo, entro en foros, busco información sobre universidades en el extranjero para ir a continuar mis estudios... Es tan interesante que no entiendo por qué mis amigos se quejan de que ya no me ven.